Buchners Schulbibliothek der Moderne

GEORG KAISER

DIE BÜRGER VON CALAIS

TEXT & KOMMENTAR

Buchners Schulbibliothek der Moderne
Herausgegeben von Karl Hotz

Heft 16

Georg Kaiser
Die Bürger von Calais

Kommentiert von Walter Urbanek

Lektor: Gerhard C. Krischker

1. Auflage 1 ⁴ ³ ² 2009 2007 2005
Die letzte Zahl bedeutet das Jahr dieses Druckes.
Alle Drucke dieser Auflage sind, weil untereinander unverändert,
nebeneinander benutzbar.

Einband: Rüdiger Hartmann unter Verwendung der Skulptur
«Die Bürger von Calais» von Auguste Rodin
Gesamtherstellung: Pustet, Regensburg

www.ccbuchner.de

ISBN 3 7661 3966 5

VORWORT

Das Stück, das Georg Kaiser den Durchbruch als expressionistischer Dramatiker brachte, kann als Modell schlechthin für das expressionistische Menschheitspathos und die Utopie vom «neuen Menschen» gelten. Die hochsymbolische und pathetische Bühnenhandlung – bis in das geradezu zum steinernen Monument gefrorene Schlussbild – machen das Stück in dieser Weise zu einem einzigartigen literarischen Dokument. Es ist aber vor allem die parabolische Gestaltung, die «Botschaft», die diesem «Erneuerungsdrama» seinen Platz als klassische Schullektüre zuweist.

Der Herausgeber, Mai 2002

PERSONEN

JEAN DE VIENNE

Erster der Gewählten Bürger

DUGUESCLINS

Hauptmann des Königs von Frankreich

EUSTACHE DE SAINT-PIERRE

JEAN D'AIRE

DER DRITTE

DER VIERTE

DER FÜNFTE

JACQUES DE WISSANT

PIERRE DE WISSANT

Gewählte Bürger

Der Vater Eustache de Saint-Pierres

Die Mutter des Dritten Bürgers

Die Frau des Vierten Bürgers

Die alte Wärterin mit dem jungen Kind des Vierten Bürgers

Die zwei Töchter Jean d'Aires

Der Vertraute des Fünften Bürgers

Ein englischer Offizier

Ein französischer Offizier

Englische Soldaten

Zwei französische Soldaten

Zwei bucklige Diener

Ein Knabe

Gewählte Bürger – Bürgervolk

Nicht sind die Namen der sechs Bürger von Calais auf unsere Zeit gekommen; nur vier sind verzeichnet. Ich habe für diese Dichtung der erfundenen Benennungen entraten, um nicht mit falscher Grabplatte die fruchtbaren Gräber zu verschließen.

AD AETERNAM MEMORIAM

ERSTER AKT

Die offene Stadthalle. Ein roter Backsteinbau – mit breiten Stufen, die Sitzreihen sind, nach einer Plattform ansteigend, wo kurze, quadratische Säulenstümpfe des unsichtbare Dach tragen. Ein Vorbau, den eine Tür verschließt, teilt in der Mitte unten die Reihen.

In den Stufen stehen die Gewählten Bürger – hagere Gestalten im Bausch überweiter Gewänder – abgekehrt und nach der Plattform aufschauend. Nur Eustache de Saint-Pierre, siebzigjährig, sitzt – vorn rechts – und blickt zu Boden.

Am Vorbau zwei Wachen, ihre Lanzen vor der Tür kreuzen. Eine helle Glocke läutet nah und rasch – Das Brausen vieler Glocken in der Ferne.

An den äußeren Rand der Plattform gedrängt und in die Tiefe winkend und schreiend Bürgervolk. Der Lärm schwillt noch, neue Ankömmlinge stoßen eine Gasse: Jean de Vienne – Fünfziger – taucht auf. Eine zweite Woge von Menschen und Geschrei läuft herauf: Duguesclins – schwarz geharnischt – erscheint. Hinter ihm sein Fahnenträger.

Jean de Vienne hat sich umgedreht und erwartet Duguesclins: umtost tauschen sie brüderlichen Kuß.

Ein Offizier mit einem Trupp Soldaten ist oben gefolgt – hinter den vorgelegten Lanzen ist langsam die Menge verdrängt.

Die Plattform liegt leer. Der Lärm verringert sich – schweigt. Indessen beginnen Jean de Vienne und Duguesclins die Stufen hinabzusteigen. Die nun entstehende heftigste Bewegung wiederholt die Vorgänge auf der Plattform: die Gewählten Bürger empfangen die beiden mit hingestreckten Händen. Dann umarmen und küssen sie sich untereinander. Zwei Jünglinge – Jacques de Wissant und Pierre de Wissant – eilen über höhere Stufen und grüßen mit überschwenglicher Hingabe Jean d'Aire – einen hohen Siebziger.

Die helle Glocke hört auf, auch die fernen Glocken. Jean de Vienne steht ganz unten rechts, ihm gegenüber hat sich Duguesclins – das geschorene Haupt entblößt – niedergelassen. Die Gewählten Bürger suchen ihre Plätze auf.

Der Fahnenträger – die große Fahne vor sich – auf dem Vorbau.

Die helle Glocke ist der Ruf in die Halle. Das Zeichen wurde nicht mehr gegeben – in wem glühte noch mit dünnster Flamme die Hoffnung, es noch zu hören? Verbrannte sie nicht so schwach – wo glimmt der Funken, der noch ein Feuer entfacht – – von dem die Fesseln auf unseren Armen schmelzen – auf Zungen, die wieder schwingen – von allen Glocken über der Stadt, die frei stürmen – und die Befreiung auf Calais stürzen! – Ihr sucht durch die Zeit – vor euch entsteht die letzte Versammlung. Wir kamen von dem Werk, an das wir unsere Kräfte hingegeben hatten – wie an kein Werk noch. Geht in die Straßen und späht in die Häuser: – wo sind Arme, die nicht jetzt noch zittern – Hände, die sich nicht krampfen wie um das Werkzeug, das sie führten – gekrümmte Rücken wie unter Bürden, die sie schleppten – zu den Dämmen, die davon ins Meer wuchsen – die Woge nach Woge verdrängten – und ihre Wucht brachen und ihre Unruhe dämpften – bis sich die neue Bucht rundete – weit und glatt wie vor keiner Küste: wir öffneten ein Tor in das Meer – nun sollten Schiffe auf glückliche Meerfahrt hinausgleiten! – Ich frage euch – und spürt selbst in euch mit dieser Frage nach: – war dies das Ziel – oder ein anderes? – Ist einer hier, in dem am geheimsten eine andere Begierde lebte? – So will ich den Schlüssel der Stadt auf meine flachen Hände legen und – barhäuptig und unbeschuht – und schreitend im Kittel des überlieferten Büßers! – ihn vor das Tor tragen! – – – Der Hafen von Calais bedroht England. Dunkler noch der Verdacht – schwerer die Beschwerde: die Pforte ist es, daraus der König von Frankreich leicht und schnell nach England dringt! Mit diesem Willen ist der Hafen gebaut! – – Wer durchdringt nicht den Vorwand? – Der alte trübe Streit, den der König von England mit dem König von Frankreich führt – wer herrscht in England – wer über Frankreich – soll von ihm auflodern! – – So peitscht kein Sturm, so schattet keine Wolke – wie es unter Segeln von England fuhr. Mit letztem Glück konnte der König von Frankreich seinen Hauptmann in die Stadt werfen. Calais ist nicht gefallen – Calais ist durch die Wüste der Belagerung geschritten! – – Wann trug sich dies schon zu? Wo wurde der Kampf gefochten, in dem kein Schwert schlägt – kein Bogen birst – keine Lanze zersplittert? – Draußen im Sande kauert dumpf ein träges Tier – die Sonne läuft ihm über den schilernden Leib – schoß ein anderes Geschoß von ihm auf als diese Blitze?

Warum rührt es sich nicht – warum richtet es sich nicht hoch und läuft den Sturm, der über die Mauern flutet – mit dem es Calais erobert? Warum hebt es seine Tatze nicht, unter der es seine Beute zermalmt? – – – Der König von Frankreich zieht heran. Wie will sich der König von England seiner erwehren? Wie begegnet er ihm, der so vom Rücken droht – wenn er seine Macht nicht schont – für diesen anderen Feind? – Klug ist der Witz des Königs von England – nun zerschellt er vor seinem Schlusse! – Es ist ein wütender Wind ausgebrochen, der von allen Ende die Scharen zusammengetrieben hat. Gewaltig, wie es nie den Boden Frankreichs erschütterte, ist das Heer. Unaufhaltsam schwillt der Zug. Die Erde dröhnt davon – der Himmel ist von dem Staub, der von ihm aufwirbelt, verfinstert. Mit Singen und Jubel vollführt es seinen Marsch in Tag und Nacht. An seiner Spitze reitet lachend der König von Frankreich – lacht wie im Spiel – das Spiel des Löwen, der den Hamster jagen geht! – – Mit jedem Morgen kann die hohe Säule aufstehen, davor die Sonne sich verdunkelt – darunter der Boden schwankt. An jedem Morgen spähe ich nach der Wolke, die laut schallend den König von Frankreich verkündet! – : – an diesem Morgen schickt der König von England in die Stadt – nicht mehr an den, der mit dem Schwert die Stadt verteidigt! – – Die helle Glocke ruft – die Glocken rauschen über die Stadt: – heute ist das Amt, das wir von uns auf die gepanzerten Schultern des Hauptmanns von Frankreich schieben mußten, wieder auf uns gelegt! –

Überwältigt ausbrechend.

Das Schwert soll nicht mehr über Calais herrschen – Calais ist von ihm befreit.

Mit stärkstem Nachdruck.

Der Gesandte will hier in der offenen Halle der Stadt zu den Gewählten Bürgern von Calais sprechen!

Noch einmal flutet kurz die freudige Bewegung durch die Reihen – dann gibt auf die anweisende Gebärde Jean de Viennes der linke Wächter seine Lanze an den rechten ab, öffnet die Tür des Vorbaues und geht in diesen. – Nun geleitet er den englischen Offizier heraus, dem eine Haube von schwarzem Tuch das Haupt einhüllt. Der Soldat entfernt sich – schließt die Tür und steht wie vorher.

DER ENGLISCHE OFFIZIER

verharrt in unsicherer Haltung. Er dreht den noch halbblinden Blick im Kreise, dann haftet er auf Duguesclins fest. – Nun strafft sich seine Gestalt gegen die Versammlung.

Der König von England ist über das Meer gekommen. Das alte – in seinem Blut verbürgte Recht ist verletzt. Mit dreister Hand hat ein Fremder nach der Krone Frankreichs gegriffen. Der Frevler mußte seine Züchtigung erleiden – wie man Diebe abstraft mit Peitschenhieben! –

Eine hastige Bewegung läuft durch die Reihen. Duguesclins zieht klirrend sein Schwert zu sich.

Der freche Dieb versteckt sich – feige wie die Diebe sind! – und beschwatzte mit flinkem Munde – den die Angst beredt machte! – und täuschte das verblendete Volk von Frankreich, bis es sich vor ihn hinstellte und ihn und sein Unrecht schützte. – So mußte der König von England statt der Rute das Schwert anfassen. Wo Gericht geübt wird – da fällt es nicht gegen den Richter. Der Spruch war gültig – der Schlag ist geschlagen: – vor zwei Tagen sind die Scharen, die der Dieb wider den König von England trieb, in blutiger Niederlage zertrümmert und in alle Winde gescheucht!

Die Gewählten Bürger – mit Ausnahme von Eustache de Saint-Pierre – sind aufgesprungen: in ungläubigem Erstaunen werfen sie die Arme hoch. Nun lenkt sich die Aufmerksamkeit auf Duguesclins, der, von seiner Erregung überwältigt, sich auf den englischen Offizier stürzen will. Doch ist er von den ihm zunächst Stehenden aufgehalten.

DUGUESCLINS

Das sind – – ! – – Ein Raubfisch ist von England durch das Meer geschwommen – der wühlt an Frankreichs Küste mit hitzigen Schlägen die Flut auf. Jede Welle, die davon mit trüber Brandung auf das Land rollt – Lüge! – Lüge, die schäumt: mit falschem Anspruch herrscht der König von Frankreich. Wo stiehlt ein Dieb in seinem eigenen Haus? Der Räuber ist, wer draußen schleicht. Woher kommt der, der hier schmäht und mit Schelten droht? Das ist die diebische Elster aus England, der es nach der funkelnden Krone von Frankreich gelüstet! – Lüge, die schäumt: mit listigem Betrug ist das Volk von Frankreich aufgestachelt. Keine Stimme, die nach ihm rief – keine Fahne, die warb: – und dennoch spannte sich der schwächste Arm nach seiner Waffe! – So verheißt keine Lockung – so erhebt sich nur der Zorn. Eine wilde Woge hat ein reißendes Tier auf Frankreichs Boden gespült – nun soll es in das Meer zurückgestoßen werden. Da verblutet es an den Wunden, die ihm mit der furchtbaren Gewalt geschlagen sind! – Und hätte der König von Frankreich seine Krone abgetan und sie dem König von England um des Friedens willen verkauft – das Volk von Frankreich würde mit Strömen seines Blutes ihren Preis bezahlen und sie auf den Knien ihm wieder schenken! – Lüge, die schäumt: Lüge, die alles zur Lüge macht, das letzte: – kein Tag, an dem die Sonne nicht von dem schimmernden Ring, der um Calais geschlossen ist, blitzte. So lag er in Monaten dicht und eng – so stach das Licht nicht gestern stumpf in eine Lücke: heute zuerst löste eine Rüstung sich los – dieser trägt sie! – Kein Mann stand von seiner Ruhe auf – und vorgestern hat der König von England das übermächtige Heer Frankreichs vernichtet? – Sind wir erschöpft auf das Ende, daß in unseren Augen der Staub nicht beizt – sind wir taub, daß wir den Lärm von einer Schlacht nicht hören? – Der König von England schilt uns blind – so erhält er das Maß für unsere Verblendung: – in jeder Stunde noch sahen wir im Sande vor Calais Helm an Helm – Lanze an Lanze unverrückt an!

DER ENGLISCHE OFFIZER

– – Im Sande vor Calais liegen Helme – Lanzen, wie Lanzen – Helme still liegen – – – wenn ein Kind sie nicht wegräumt. – Die Sonne spiegelt darauf – das blendet!

Die Gewählten Bürger lassen sich nieder, wie von einer Schwäche bezwungen, die ihre Glieder lähmt.

DUGUESCLINS

ausbrechend.

Begreift ihr jetzt den Witz des Königs von England? – Sprüht er nicht von seinen Taten – die er nicht leistet? So seht den König von England an – seines Landes Haupt und sein witzigster Kopf! – Liefert er euch nicht Beweis nach Beweis? Der herrliche König von England hat mich abgesetzt – der witzige König von England hat euch zusammengeschellt. Was wissen die Bürger von Calais von Waffen! Wie zehn Schwerter stärker sind über einem. Das ist die Rechnung, die ihr nicht rechnet. So zielt sein Witz. Mit zehnfacher Macht schlägt der König von Frankreich – wie rettet sich der König von England vor dem Verderben? Wo schlüpft er aus der Schlinge, in die er vor Calais geriet? Wo ist der Ausweg – wo öffnet sich das Tor, aus dem er noch schnell und leicht hinausführt? – Jetzt nützt ihm einzig der glatte runde Hafen von Calais! – Sprach er es noch nicht aus, klopfen uns nicht davon unsere Ohren: – geht aus der Stadt und gebt den Schlüssel hin – denn jede Hoffnung ist ausgelöscht – Calais sieht niemals seinen Befreier! – Glaubt an den Witz des Königs von England – und klatscht in die Hände – so hört er die Antwort. Ein Kind kann sie lallen – wenn es an einem Abend mit leeren Helmen spielt, die es im Sande fand – die kurze Geschichte des Tages, der nahe heran ist. Schenkt der König von England nicht selber die beste Zuversicht? Nun schickt ihm seinen frohen Boten wieder. Vergebens ist seine Mühe, die euren Mut wanken machen soll. Dies gilt – morgen und immer: wie das Schwert von mir über Calais gehalten wird – so trägt es heute noch fest und frei der König von Frankreich vor Frankreichs stolzem Heer!

DER ENGLISCHE OFFIZIER

gegen Jean de Vienne gewendet.

Der König von England weiß es, daß die Bürger von Calais nicht mit Waffen vertraut sind. Sie kennen das Handwerk mit ihnen nicht – wie man sie braucht zu harten Schlägen. Darum unterrichtet sie rascher ein Mund, an dessen Worten sie nicht zweifeln. Die Zeit eilt!

Unter seinem herrischen Befehl gehorcht der linke Türwächter – wie vorher. In der Halle wird es tiefstill.

Der Wächter geleitet einen englischen Soldaten – ebenfalls mit einer schwarzen Haube bedeckt – heraus: dieser führt hart neben sich eine dritte Gestalt, die noch vom Hals bis zu den Füßen mit einem Mantel bekleidet ist, unter dem es mit heftigen Stößen zuckt.

DER ENGLISCHE OFFIZIER

zum Wächter.

Diesen zuerst!

Der Wächter streift die Haube von dem Soldaten ab.

Der englische Soldat befreit sogleich die Gestalt, den französischen Offizier, vom Mantel: seine mit Staub und Blut bedeckte Rüstung zeigt sich – die Hände sind auf den Rücken gebunden. Der englische Soldat löst noch die Fesseln. Mit raschen Griffen entfernt der französische Offizier die Haube von seinem Kopf, der eine Binde trägt – und reißt sich den Knebel aus dem Munde. – Seine Stimme versagt ihm noch wie im Ersticken.

DUGUESCLINS
zu ihm stürzend.

Godefroy!

Viele der Gewählten Bürger stehen, die anderen sitzen weit vorgebeugt – alle blicken in höchster Anspannung nach den beiden.

DER FRANZÖSISCHE OFFIZIER
Duguesclins vor sich festhaltend.

Rette – – rette – – die Ehre Frankreichs! – – Sie ist noch nicht verloren. Du atmest! – Du hebst sie auf – vor dem Schmutze – in den sie unsere Füße gestampft haben! –

DUGUESCLINS

Wo ist der König von Frankreich?

DER FRANZÖSISCHE OFFIZIER

Suche ihn bei den Toten. –

Fast schreiend.

Halte ihn zwischen den Fliehenden auf. – Du fängst ihn nicht mehr – der König von Frankreich reitet schnell!

DUGUESCLINS

Wo blieb das Heer?

DER FRANZÖSISCHE OFFIZIER

Tu Spreu auf deine Hand und blase darauf. Ist deine Hand danach nicht leer?

DUGUESCLINS

Wann ist das geschehen?

DER FRANZÖSISCHE OFFIZIER

Einmal – weit von Calais. Was sorgen wir uns um den Feind. Den finden wir vor Calais. Wir singen Lieder – wir schwatzen im Sattel – so ziehen wir in den blauen Tag hinein. Da geschah das. Da fegte ein Sturm in uns hinein. In den Seiten faßte er uns an – im Rücken schüttelte er uns – er brach durch unsere Reihen – er drückte uns auf den Boden – er sprang auf uns hin und her –

er zerschlug unsere Helme und Panzer –! Wir sanken in Blut und Blut – – wir standen ächzend auf – und klammerten uns an, wo einer lief – und taumelten die Flucht mit ihm, bis der uns abschüttelte mit einem Hieb und das Schwert bei uns ließ – um leichter zu laufen! – – Das war ein Sturm, der raste – und Frankreichs Ruhm mit einem Hauch verwehte – wie ein Licht, das zu hell strahlte! – Der König von England war das nicht – Duguesclins – den hieltest du vor Calais fest! – – Das Licht ist nicht verloschen – es flackert: – du stehst noch da! – Nichts ist verloren – rette – rette die Ehre Frankreichs! –

In Erschöpfung hebt er die Hände nach dem Hals.

Durst – Durst – – trinken!

DER ENGLISCHE OFFIZIER

Du bist frei in der Stadt – du wirst in den Straßen deutlich sprechen, wo du dich zeigst!

DER FRANZÖSISCHE OFFIZIER

gelangt stolpernd über die Stufen nach der Plattform – und verschwindet.

DUGUESCLINS

erreicht schwankend seinen Sitz. Er beugt die Stirn tief auf den Schwertknauf und verharrt reglos.
Die Gewählten Bürger, die mit Blicken dem französischen Offizier gefolgt sind, drehen sich langsam dem englischen Offizier zu.

DER ENGLISCHE OFFIZIER

nach einem Warten.

An diesem Morgen ist der König von England vor Calais zurückgekehrt. Kein Feind ist mehr, der vom Rücken droht – keine Mauer stark, die seinen Sturm aufhält. Calais ist in seine Hand gegeben. Er tut mit ihm nach seinem Willen. Morgen ist der letzte Stein von ihm verstreut – über seinen Raum breiten sich Trümmer – öde wie die Küste des Meeres! – – – Mit gerechter Strafe züchtigt der König von England den Trotz, der vor ihm die Stadt verschloß und das Schwert anfaßte! – Das Schwert ist zerschlagen – nun ruft der König von England die Gewählten Bürger in die offene Halle der Stadt! – – Der König von England will Gnade üben. Um des Hafens willen, der von Calais in das Meer geöffnet ist – sollt ihr die Zerstörung mit der niedrigsten Buße abwenden: – – – mit dem Grauen des neuen Tages sollen sechs der Gewählten Bürger aus dem Tor aufbrechen – barhäuptig und unbeschuht – mit dem Kittel des armen Sünders bekleidet und den Strick im Nacken! – So will der König von England den Schlüssel annehmen! – Doch versäumen sich die sechs Büßer morgen um die kleinste Frist – so läßt der König von England in derselben Stunde den Sturm laufen und die Stadt in den Hafen stürzen! – –

Die ersten sind Jacques de Wissant – links – und Pierre de Wissant – rechts, aufrecht und mit vorgestreckten Armen hinweisend entzünden sie den Ruf: – Duguesclins! – An ihrer Seite erheben sich die nächsten – die Bewegung schwillt eilend durch die Reihen.

Wie ein loses Gewand vom gereckten Körper ist lahme Schwäche von den Gewählten Bürgern gesunken. Mit einer Gebärde, in einem Schrei tost die Aufforderung: – Duguesclins!

Duguesclins drückt den Helm auf das niedrige schwarze Haar – steht auf. Das freie Schwert hebt er in beiden Händen hoch auf die Brust. Jean de Vienne gibt dem Wächter das Zeichen: dieser tritt mit der Haube wieder zum englischen Offizier.

Nun schwillt der gesteigerte Lärm nach ihm: – Jean de Vienne! – Die Stufen auf entsteht eine Gasse – Arme verweisen den englischen Offizier auf die Plattform.

EUSTACHE DE SAINT-PIERRE
geht von seinem Sitz zu Jean de Vienne und greift seinen erhobenen Arm an.

Jean de Vienne – willst du mit uns vor diesem Gesandten nach der Antwort suchen?
Die Unruhe unter der Halle ebbt schnell hin.

JEAN DE VIENNE
nach kurzem Besinnen – mit stürmischer Geste gegen den englischen Offizier.

Wir müssen suchen!

Die beiden Wächter führen den englischen Offizier und den englischen Soldaten in den Vorbau und schließen die Tür hinter ihnen.

JEAN DE VIENNE
immer Eustache de Saint-Pierres Hand festhaltend.

Wir müssen suchen – mit allen Sinnen! – – Wem schießt es nicht auf die Zunge – und brennt es wie Feuer – und erstickt in ihm die Luft? Wem treibt es nicht das Blut auf – und stößt es hinter seiner Stirne – und schlägt mit Lasten? – Wer will noch sprechen – wer stammelt noch – wen verwirrt nicht diese Scham? – – Wer sind wir – mit unseren Schultern – mit unseren Armen – mit unseren Händen? – Was taten wir mit Schultern – was hoben wir mit Armen – was griffen wir mit Händen? – Sind wir Täter an einem Werk, das dunkel liegt? – – Was ist das Werk? – Wuchtig rollt das Meer an die Küste. Kein Schiff, das ohne Not ankommt – mit Angst ausfährt. Kein Schiff, das nicht eines Tages zerschellt. Kein Kommen – kein Ausfahren, das nicht von dieser Gefahr bedroht ist. Sucht über den Strand – wo häufen sich heute Trümmer? – Das Meer rollt – es trifft nicht mehr. Die Brandung richtet sich hoch – sie fällt hin. Schiffe kommen – Schiffe fahren aus – was stört Ankunft und Abfahrt? – – Das ist das Werk von unseren Schultern – auf die wir mit unseren Händen den Strick legen sollen! – Das ist unsere Tat – hinter der wir schreiten sollen – – als Missetäter! – – Wir müssen hier suchen. – – Wer ist unter uns, der sie findet – Worte, die verweisen – Worte, die brennen – Worte, die züchtigen! –

Mit rascher Drehung.

Duguesclins tritt vor uns hin!

DUGUESCLINS

– – Das Spiel ging um die Stadt Calais. Das Spiel ist von einem anderen gewonnen. Calais ist verloren – Calais ist sein Gewinn. Er wägt ihn in der Hand – er gefällt ihm – er will ihn halten. Er spottet mit seinem Glück, das er auf der Hand vor sich hält. Die Hand und das Glück – er schüttelt beide. Denn beide sind heil – und an ihm fest. Das ist heute ein Tag seines lauten Gelächters! –

Mit wachsender Stärke.

Mit dem andern Morgen sind Hand und Glück ihm vor die Füße gestürzt. Die Hand schlägt ihm dies Schwert ab – den Gewinn frißt ihm das Feuer! – Hier gelingt es ihm nicht, uns schreckt sein Sturm nicht aus träger Ruhe – er verwirrt nicht, wir sind vorbereitet. Kein Arm, der ohne Waffen blieb. Wir stehen auf den Mauern – bei den Toren – in den Straßen. Dann soll er durch sein Blut eindringen. Dann wirft der letzte Arm, den einer regt, den Funken aus. Die Flammen rütteln in den Häusern – die Wände schwanken und bersten – und mit stäubendem Fall sinkt die Stadt in ihren Hafen. Calais ist untergegangen – über seinen Raum treibt das Meer, das seine Beute vor jedem bewahrt!

Jean d'Aire zuerst – danach andere, meist Greise, sind aufgestanden: ihre Arme sind wie nach Waffen langend gespannt. Jüngere scharen sich um sie, um diese kargen geballten Fäuste beteuernd zu fassen.

JEAN DE VIENNE

Duguesclins – du siehst es: unsere Arme sind nach dir ausgestreckt – nach einer Waffe. Wir stehen neben dir bei den Toren – in den Straßen. Der Schwächste unter uns zündet den Brand an. Unsere Hände auf deine Hand – Duguesclins – unter deiner Hand das Schwert – so halten wir es mit dir!

Die Gewählten stehen in den Reihen, wie im Gelöbnis sind alle Hände gespreizt.

JEAN DE VIENNE

will die Hand Eustache di Saint-Pierre mit seiner auf das Schwert auflegen. Da Eustache widerstrebt, dreht er sich zu ihm. Dann gegen die Reihen winkend.

Dies ist unser Beschluß. Der Weg ist gezeigt, den wir schreiten. Duguesclins hat ihn vor uns eröffnet! – Noch fehlen die Worte, die vor uns laufen und uns verkünden. Nun will sie Eustache de Saint-Pierre für uns finden!

EUSTACHE DE SAINT-PIERRE

ohne Kraft – mit gesenktem Kopf und hängenden Armen.

Wir müssen es tun!

Vor seiner Haltung verstummt jede Unruhe unter der Halle. – Seine Gestalt straffend.

Wir kommen von unserem Werke – an das wir unsere Kräfte hingegeben haben – wir an kein Werk. Die neue Bucht rundet sich – nun sollen Schiffe auf glückliche Fahrt hinausgleiten! – – Jean de Vienne, riefst du uns hier nicht auf – stelltest du nicht unserer geheimsten Begierde mit dieser Frage nach: was ist das Ziel! – Ist es nicht dies? Bückten wir nicht um dies vom ersten Anfang an die Schultern – beluden sich unsere Arme nicht um dies? Jean de Vienne, du stachelst uns mit dieser Aufforderung – trübte es sich einem von uns – so legt er dir den Schlüssel auf die flache Hand und schickt dich aus dem Tor! – Jean de Vienne – jetzt nimmst du den Schlüssel selbst – jetzt gehst du – barhäuptig und unbeschuht! – vor die Stadt! Dein Entschluß springt nicht allein aus dir allein: –

Gegen die Reihen.

– eure Hände sind es, die ihn reichen – euer Verlangen ist es, das zur Erfüllung drängt! –

Zu Jean de Vienne.

So tritt aus deinen Schuhen, streife dein buntes Gewand von dir – du willst büßen um unseren Betrug, der sich heute enthüllt –: mit anderer Begierde schufen wir das Werk. Ihr schiebt es in den Streit – und in des Streites Mitte. Das Werk gilt nicht – der Streit ist mehr! – So seid ihr schuldig daran – so sühnt es nach eurer Verheißung. Hier schallte sie – so haftet sie in unseren Ohren!

Ein betroffenes Schweigen herrscht.

DER VIERTE BÜRGER

fünfundvierzigjährig – steht halb auf.

Eustache de Saint-Pierre – sollen wir dem Willen des Königs von England gehorchen?

EUSTACHE DE SAINT-PIERRE

ohne seiner zu achten, an alle.

Heute sollen wir das Werk vollenden. Heute beschließen wir es mit dem letzten Eifer – der jeden Eifer lohnt. Das eine ist getan. Seht sie an uns – die Mühe, die unsere Glieder dorrte. Keine Stunde, die uns ausruhte – die Flut ruhte nicht! – Keine Last, die uns überwog – der Stein wälzte sich nicht. Unser Atem ächzte – unser gebogener Leib verdrängte das Meer – Woge nach Woge wich es – dem Meere haben wir es abgerungen. Es ist geschaffen! – – Es ist nicht genug. Nun offenbart sich das andere. Nun legt sich euer Werk auf euch – nun begehrt es nach euch mit dem stärksten Anspruch. Sein Gelingen befiehlt euch mit dem härtesten Fron. Nun versammelt eure Kräfte – nun bäumt den Nacken – nun faßt den eigensten Gedanken. Euer größtes Werk wird eure tiefste Pflicht. Ihr müßt es schützen – mit allen Sinnen – mit allen Taten. Wer seid ihr – am Rande eurer Taten? Mit eueren Seufzern verklungen – mit eurer Erschaffung verworfen – vor eurem Werk armselige Büßer!

DER DRITTE BÜRGER

mit drängender Frage.

Eustache de Saint-Pierre, sollen sich sechs von uns im Sande von Calais schänden lassen?

JEAN DE VIENNE

Seht hin: – schufen wir unser Werk mit Lachen und Singen? Stiegen wir nicht durch Dienst Schritt und Schritt zu ihm auf? Wo schenkt sich Herrschaft hin – ohne Dienst? Dienst – der nötigt – der quält – der sich an uns vollstreckt? – Ihr habt bis gestern gedient – könnt ihr heute entlaufen, wo euch die Herrschaft verliehen ist?

JEAN D'AIRE

mühsam.

Eustache de Saint-Pierre, sollen wir in dem Sand von Calais die Ehre Frankreichs auf diesem Gange zertreten?

EUSTACHE DE SAINT-PIERRE

schweigt.
Nun wühlt ein Aufruhr in den Reihen auf: Jean d'Aire steht dicht umringt.

DUGUESCLINS

an Eustache de Saint-Pierre mit raschen Schritten vorübergehend und unter Jean d'Aire hintretend.

Aus dem armen Sande vor Calais schießt ein Baum auf. Der blüht an einem Tage. Mit Blut speist sich seine Wurzel. Sein Schatten breitet sich über Frankreich aus. Darunter saust es wie von Bienen: – der Ruhm Calais, der Frankreichs Ehre rettet! –

Er dreht sich nach Eustache de Saint-Pierre um.

Der König von England will die Stadt schonen – um den Hafens willen. Ist der Hafen dieses Handels wert – der mit der Ehre Frankreichs bezahlt wird?

EUSTACHE DE SAINT-PIERRE

langsam.

Wir sahen die Küste, die steil ragt – wir sahen das Meer, das wild stürmt – wir suchten den Ruhm Frankreichs nicht. Wir suchten das Werk unserer Hände! –

Der entstehenden Bewegung entgegnend.

Einer kommt, den spornt die Wut. Die Wut entzündet die Gier. Mit wütender Gier greift er an – und rafft auf, was er auf seinem Wege findet. Er häuft es zu einem Hügel von Scherben – höher und höher – und auf seinem äußersten Gipfel stellt er sich dar: – lodernd in seinem Fieber – starr in seinem Krampf – übrig in der Zerstörung! – – Wer ist das? – Empfangt ihr von ihm das Maß eures Wertes – die Frist eurer Dauer? – den heute die Gier anfaßt, die morgen mit ihm verwest?

Hier und da steht einer in den Reihen rasch auf und wendet sich mit starker, gegen Eustache de Saint-Pierre abwehrender Geste zu dem nächsten.

EUSTACHE DE SAINT-PIERRE

von einem zum anderen dieser.

Ihr wollt euer Werk zerstören – um diesen, der aus der Stunde kommt und mit der Stunde versinkt? – Ist der Tag mehr als alle Zeit? Wie belehrt euch euer Werk, an das ihr die Tage und Tage reihtet – bis der Tag gering wurde wie der Tropfen im Meer? Stürzte euch die Hast in den Taumel – oder kettete es euch mit kühlen Gliedern an euer Werk? – Wollt ihr es heute verleugnen? Wollt ihr heute mit einem Schieben der Schulter verwerfen, was euch schon beriet und besaß? – – Ein Fremder zögert vor der Stadt um dieses Hafens willen: – ihr zögert nicht?

Immer neue erheben sich – mit den gleichen ungestümen Gebärden

EUSTACHE DE SAINT-PIERRE

unabweisbar.

Brennt euch jetzt nicht die andere Scham: – dies Werk geleistet zu haben? – Ekeln euch nicht eure Hände, die daran schufen? Graut euch nicht vor eurem Leib, der sich dazu bückte? – – Ihr vertriebt das Meer – und bautet wie auf hartem Boden. Ihr stelltet euer Werk hin – nun lockt und leuchtet es. Nun gießen sich davon heiße Ströme von Kräften in alle Arme aus! – Schon bezeichnen sie das neue Land, das sie aus der Wüste furchten – schon messen sie die Gebirge, die sie ebnen – schon graben sie die Kanäle, in denen sie den Schwall des Wasser bändigen. Kein Widerstand türmt sich länger auf – euer Werk hat das Meer überwunden!

Keiner in den Reihen ist auf seinem Platz geblieben.

EUSTACHE DE SAINT-PIERRE

mit letztem Nachdruck.

Heute wird euer Werk euer Frevel! – Logt ihr nicht schlimmer als mit Worten – mit diesem Werk? Schürtet ihr nicht mit dieser Verheißung jeden Eifer – der nun wach ist und von Ungeduld nach seinem Werke schon verzehrt wird? – Ihr wagtet, was noch keiner angriff – nun schwillt die wuchernde Woge hinaus! – Wollt ihr nun gelassen beiseite stehen – soll der feile Spott von euren Lippen lästern? – – Ihr wagtet euer Werk – um alle Werke müde zu machen – um mit ihm alle Mühen zu prellen: – immer wartet die Wut – unsere Gier schäumt auf – mit kurzen Stößen zerbricht sie unser Werk aus Leben und Leben! – – Scheut ihr nicht euren Betrug? Wollt ihr diesen Makel auf euch tragen, der euch mit einem scharfen Mal zeichnet – das ihr nicht tilgt?

Über die Stufen ist ein Fluten: – Jacques de Wissant und Pierre de Wissant dringen unten zugleich auf Jean de Vienne und Duguesclins ein und winken anderen zu, um mit ihnen die beiden wegzuführen.

DER DRITTE BÜRGER

ausbrechend.

Eustache de Saint-Pierre – mit diesen Händen suchten wir unser Werk. –

An alle.

Sind wir das Werkzeug? Sind wir die Täter? – Eustache de Saint-Pierre – soll uns nicht von unserem Werk der stärkste Stolz fließen?

EUSTACHE DE SAINT-PIERRE

schweigt.

DER VIERTE BÜRGER

Die Küste ragt steil – das Meer stürmt wild – wir verdrängten von ihr das Meer! – – Die Woge hob uns auf ihren Kamm – Eustache de Saint-Pierre – soll uns der feige Schwindel schütteln?

EUSTACHE DE SAINT-PIERRE

bleibt stumm.

JEAN D'AIRE

eine Stufe heruntersteigend.

Wir suchten den Ruhm nicht – nun rollt der Ruhm an unsere Füße! – Eustache de Saint-Pierre – sollen wir ihn nicht aufheben – und über uns streifen – als unser buntes Kleid?

EUSTACHE DE SAINT-PIERRE

blickt zu Boden.

DUGUESCLINS

So wurde der Hafen von Calais tief ausgeworfen: – Ehre und Ruhm ertrinken in ihm – und euer Mut!

EUSTACHE DE SAINT-PIERRE

dreht sich schnell nach Duguesclins, tut einige Schritte gegen ihn. Allmählich sammelt sich aus seiner Erregung die Sprache.

Brennt dein Mut auf an diesem Streit, in den du morgen läufst? – Was fordert dieser Streit morgen noch von dir? – Morgen faßt du das Schwert an – du schlägst viele um dich – viele überwältigen dich! – Ist dieser Streit vor seinem Anfang nicht schon entschieden? – Dämmt noch ein Zweifel – quillt eine Wahl? Was bleibt dir zu tun? – – Du stürzt den Sturz deines Helmes vor dein Gesicht und bist blind und taub hinter dem Schild. So stehst du hier geblendet und betäubt! – Ein Dunkel umgibt dich, mit dem du deine Tat bedeckest. Nun siehst du sie nicht an – nun schrumpft sie ein – nun ist sie klein – nun erschreckt sie nicht mehr, um sie zu wagen! – –

Jacques de Wissant und Pierre de Wissant stellen sich vor Duguesclins hin.

– Wo ist Mut, wenn sich der Wille von der Tat scheidet? – – Ich sehe ihn nicht! – Wo ist Mut, wenn seine Tat nicht bis an ihr Ende rollt? – Was gilt diese Tat noch, wenn sie dich dumpf zwingt? – Wenn du heute alle Straßen um dich verschüttest – lobt dich morgen dein Weg? – Es kostet dich keinen Mut: du mußt ihn schreiten – dieser ist noch übrig! Den stürmst du keuchend hinaus – wie ein Flüchtling keucht von seiner Flucht! – Auf ihm fliehst du in deine Tat. Sie wartet noch auf dich – sie rettet dich aus der Öde um dich – sie hebt dich aus der Leere. Sie schlägt dich nieder –: du bist geborgen! – – Deine Tat wird feige – wie du sie heute begehrst! – Der Mut fällt von ihr ab und verdorrt schon am Boden. Es raschelt um unsere Füße – unsere nackten Sohlen mahlen auf ihm – der Hauch unserer Hemden verweht seinen Staub in das Meer! – Wo flammt morgen noch dein Mut? Ein dichter Rauch erstickt ihn! – Von dem dumpfen Brande schwelt er – aus deinem Blut, das hinter deinem geschlossenen Panzer west! – Mit deinem Blute bist du heute tot vor deiner Tat – sollen wir nicht in unseren dünnen Gewändern bis an den anderen hellen Morgen leben?

Auf die Plattform kehrt das Bürgervolk zurück. Langsam und lautlos geschieht sein Vordringen: in schwerer Furcht hängen die Arme schlaff – sind die Schultern gedrückt. Jetzt erreicht die Menge den inneren Rand. Dort verändert sie ihre Haltung: die Köpfe sind vorgestreckt – die Augen schweifen durch den Raum: ein unbeugsames Verlangen erhält seinen Ausdruck – ledig jeder Scheu und bar der Scham. – Die Gewählten Bürger blicken hoch: sie stehen steif und still – belauert von diesen Augen – eingekreist von der Masse, die die ganze Breite und Tiefe der Plattform füllt.

DUGUESCLINS

Ich will den Mut, der mir das Schwert zwischen meine Hände schiebt, verlachen. Er ist klein und soll sich verstecken vor einem hier, der seine graue Schande über sich streift und am hellen Morgen aus der Stadt trägt. Das ist ein stärkerer Mut!

Er geht nach seinem Platze.

JEAN D'AIRE

mit einem Arm nach der Plattform weisend – mit dem anderen nach Eustache de Saint-Pierre.

Eustache de Saint-Pierre, dir ist es leid um den Hafen. Soll dich nicht am meisten die Sorge peinigen? Bist du nicht reich vor uns allen? Sind deine Speicher nicht die weitesten – sind sie nicht angefüllt mit ihren Gütern bis dicht unter das Dach? – Mußt du nicht zittern – willst du nicht betteln für deinen Reichtum?

EIN BÜRGER

auf seinem Platze.

Jean de Vienne, du sollst hier vor uns treten. Du sollst mit deiner Frage suchen. Sie soll unter der Halle schallen. Sie soll nach einem von uns rufen. Einmal soll sie dröhnen – einmal soll sie lästern!

Er winkt mit hohen Armen den gewählten Bürgern unten. Diese erwidern ihm; mit eiliger Hast erreichen sie ihre Sitze und lassen sich nieder. Auf die Reihen und die Plattform legt sich hauchlose Stille.

JEAN DE VIENNE

ohne von seinem Platze wegzugehen – mit schwerer Stimme.

Der König von England hat Gewalt über Calais. Er tut mit Calais nach seinem Willen. Nun fordert er dies: sechs Gewählte Bürger sollen den Schlüssel vor die Stadt tragen – sechs Gewählte Bürger sollen aus dem Tor schreiten – barhäuptig und unbeschuht – im Kleide der armen Sünder – den Strick in ihrem Nacken. –

Er hebt den Kopf.

Sechs sollen am frühen Morgen von der Stadt aufbrechen – sechs sollen sich im Sande vor Calais überliefern – sechsmal schnürt sich die Schlinge –: das wird die Buße, die Calais und seinen Hafen heil bewahrt! –

Nach einem Warten.

Sechsmal soll hier die Frage aufgerufen – sechsmal muß die Antwort gegeben werden! –

Mit äußerer Anstrengung.

Wo sitzen sechs – die aufstehen – und von ihren Sitzen gehen – und hier zueinander treten? – –

Die Last der Frage bedrückt anfangs noch; dann sind die Geräusche der bewegten Körper und gedrehten Köpfe schwach; nun schwillt Lärm in Lauten des Spottes an.

EUSTACHE DE SAINT-PIERRE

steht auf und geht von seinem Sitz weg bis zur Mitte. Seine Hände rücken an seinem Gewande auf den Schultern, wie um es abzulegen.

– – Ich bin bereit!

In den Reihen wird es still.

Jean de Vienne starrt staunend nach Eustache de Saint-Pierre. Auf der Plattform läuft das Gemurmel: Eustache de Saint-Pierre!

EIN FÜNFTER BÜRGER

rechts, fast hinter dem Platz Eustache de Saint-Pierres – dem Dritten und Vierten gleichaltrig – erhebt sich; er schreitet, den Kopf tief senkend und die Hände auf die Brust spreizend – und stellt sich wortlos neben Eustache de Saint-Pierre.

Die Gewählten Bürger blicken in atemlosem Staunen hin.

Auf der Plattform ist dies Murmeln: – Der Zweite!

Nun schweifen die Blicke der Gewählten Bürger in den Reihen: sie prüfen den nächsten neben sich und über sich.

DER DRITTE BÜRGER

links hochgerissen und mit den Fingern um seinen Hals greifend, schreiend.

Ich – ich bin bereit!

Gejagt und keuchend erreicht er die beiden in der Mitte.
Oben zählt das Gemurmel: – Der Dritte!
Hastig sind die Köpfe in den Reihen gedreht.

DER VIERTE BÜRGER

links – steht auf, wie einem Zwange gehorchend geht er – unbeschleunigt und den Kopf hochtragend – hin.

Ich bin bereit!

Auf der Plattform wird es lauter: – Der Vierte!
Viele der Gewählten Bürger richten sich kurz halbhoch, um den Überblick über die Reihen zu gewinnen.
Oben wächst Murren.

JEAN D'AIRE

rechts – aufrecht: er schwankt unter der Wucht des Entschlusses – so steigt er taumelnd hinunter und muß sich an Eustache de Saint-Pierre stützen, indem er die Stirn auf seinen Rücken drückt.

Eustache de Saint-Pierre, ich will dich bitten – in die Spuren deiner Sohlen zu treten!

Oben zählt und kopfnickt es befriedigt: – Der Fünfte!

Jean de Vienne, der sich Jean d'Aire abwehrend entgegenstellte, wirft nun beschwörend die Arme gegen die Reihen. Dort haben Jacques de Wissant links – Pierre de Wissant rechts, die schon Jean d'Aire mit Gesten der Angst und des Entsetzens verfolgen – sich aufgerichtet. Stöhnend und die Hände verkrampft zögern sie noch – durch den Vorbau einander verdeckt. Von der Plattform ist ein verwundertes Hinzeigen nach den beiden und neugieriges Spähen von einer nach der anderen Seite. Nun steigen die beiden zu gleicher Zeit von den Stufen. Unten am Vorbau angekommen, sehen sie sich. Sie stutzen – dann suchen sie einander zu überholen und fassen zu einer Zeit die Hände Eustache de Saint-Pierres und sprechen mit einem Klang.

Ich bin bereit!

Alle Gewählten Bürger stehen in den Reihen.

EUSTACHE DE SAINT-PIERRE

den Kopf zu Jean de Vienne drehend.

Jean de Vienne, willst du jetzt dem Gesandten unsere Antwort sagen?

JEAN DE VIENNE

rafft sich auf. Er winkt den Wächtern. Diese stoßen die Türe auf. Der englische Offizier tritt heraus: hinter ihm der Soldat.

JEAN DE VIENNE

ihm die Gruppe in der Mitte zeigend.

Morgen tragen sechs Gewählte Bürger den Schlüssel vor die Stadt. Morgen überliefern sich sechs – im Gewande des Sünders und den Strick im Nacken. Sechs Büßer fordert der König von England – sechs sind gehorsam. Calais und sein Hafen sind sechsfach bezahlt!

DER ENGLISCHE OFFIZIER

die Gruppe flüchtig streifend.

Der König von England wartet auf die sechs im Grauen des Morgens. Doch versäumen sich die sechs um die kleinste Frist – so läßt er in der gleichen Stunde den Sturm laufen und die Stadt in den Hafen stürzen!

Er wendet sich nach dem Soldaten um. Als er – klirrend in der Stille – aufbrechen will, hält ihn Duguesclins mit einer Gebärde auf.

DUGUESCLINS

tritt unter den Vorbau. Er greift nach dem Fahnentuch und zieht es zu sich nieder. Er küßt es lange und inbrünstig. Sein Blick ruht noch einmal auf der Gruppe in der Mitte – dann gürtet er sein Schwert los.

Das Schwert ist mit seiner Schärfe stumpf geworden – sein Glanz ist trübe – die Faust ist faul, die es führt. Die Hände strecken sich zu neuen Taten hin. –

Fast schreiend.

Ich kann – ich will es nicht begreifen! –

Ruhig.

Der König von England hat Länder über dem Meer. Der König von England soll mich schicken, wo mein Schwert noch dient! –

Er streckt es dem englischen Offizier hin.

DER ENGLISCHE OFFIZIER

nimmt es – achselzuckend – und gibt es dem Soldaten. Dann winkt er kurz Duguesclins, ihm zu folgen.

Die drei – von denen die Gewählten Bürger in den Reihen und das Bürgervolk auf der Plattform zurückweichen – ab. Nun wächst von der Plattform ausgehend, alle Aufmerksamkeit versammelnd – immer deutlicher dies Rufen an, das nach der Gruppe unten zielt: – Sieben!

Schließlich ist ein einziger scharfer Schrei unter der Halle: – Sieben!!

JEAN DE VIENNE

will an Eustache de Saint-Pierre herantreten.

EUSTACHE DE SAINT-PIERRE

nach schnellem Blick über die bei ihm Stehenden – mit raschem Entschluß sich zu Jean de Vienne wendend, fast freudig.

So kann an diesem Nachmittag das Los dem Siebenten von uns das Leben schenken!

Tiefe Stille verbreitet sich.

Der Fahnenträger steht wie vorher: nur das niederstürzende Fahnentuch überhängt die Tür des Vorbaues – das Fahnenholz ragt trümmerhaft schräg auf.

ZWEITER AKT

Der Saal im Stadthause: ein langes Viereck mit geringer Tiefe. In der Rechtswand eine niedrige Tür. Den ganzen Hintergrund schließt – von einer Stufe, die wie eine erhöhte Schwelle ist, aufsteigend – ein mächtiger Bildteppich ab. In seinen drei Feldern zeigt er mit der Kraft der Formen und Farben einer frühen Kunst den Bau des Hafens von Calais, links ragt die steile Küste, an die das Meer wild stürmt – rechts stellt sich die rege Tätigkeit während des Baues dar – die breitere Mitte zeigt den vollendeten Hafen: auf geraden Kaien lange Speicher und fern die Einfahrt in die weite und glatte Bucht.

Eustache de Saint-Pierre – in reichem Gewande – und Jean de Vienne stehen in der Mitte.

JEAN DE VIENNE

Es ist gut, daß die Entscheidung nun fällt. Die Unruhe ist mit jeder Stunde dieses Tages gestiegen – jetzt hat sie ihren Gipfel erreicht, von dem sie stürzen muß und – wer weiß das! – ein Unheil anstiftet, dessen furchtbare Folgen wir nicht absehen. Diese Gefahr besteht. Wir können sie beschwichtigen, wenn sich draußen hinter der Brüstung dieses Saales der siebente zeigt, den das Los freigibt. An seinem Anblick richtet sich erst der Glauben auf, daß die Rettung wirklich ist. –

Nach einem Schweigen.

Es ist merkwürdig, daß dies Bürgervolk, das die Belagerung mit stumpfer Geduld und fast gleichmütig ertragen hat, in dieser letzten kurzen Frist sie ohne den Rest eines Widerstandes ganz verliert. Ich suche die Erklärung: – was erregt sie heißer – was wühlt sie tiefer auf – bis zu diesem wüsten Ausbruch! – als die schweren Entbehrungen der verstrichenen Zeit sie einmal erschrecken konnten? – Ich finde den Aufschluß, mit dem ich nicht irre: – es ist die Ungewißheit, an der ihre frühere unerschütterliche Ruhe zerbricht. Die Erwartung des Endes der Vorgänge in diesem Saal peinigt sie mit dem schärfsten Stachel. Sie macht diese Qual – es ist die Qual! – unerträglich. Und ich wage dies zu behaupten: – wie auch der Ausgang sich gestaltet – gestaltet er sich nur endlich! – ändert ihr in letzter Stunde euren Entschluß – ihr gebt ihn auf und besiegelt so das allgemeine Verderben! – sie werden euch mit einem befreiten Aufatmen danken. Ihr habt sie aus der schlimmeren Not erlöst! –

Er schweigt wieder.

Ich will selbst mich diesem Gefühl, das so bedrückt, nicht entziehen. Obwohl mein Wunsch sechs von euch überliefert – die Last weicht erst, wenn ich den Siebenten heraustreten sehe. –

Rasch.

Und muß es euch nicht hundertfach erschüttern? – Seid ihr nicht jetzt frei – und mit dem nächsten Gedanken verloren – zugleich frei und verloren – solange die Wahl schwankt? Wird nicht die Bürde, die ihr auf euch ludet, schwerer und schwerer? Müßt ihr euren Entschluß nicht immer wieder fassen – an dem die Kraft schon mit dem ersten Mal zu versinken droht? Ihr hebt die Tat, die ihr zu tun gedenkt, über das Maß hinaus, wie ihr zögert bis an diesen Nachmittag. Spart mit der Stärke – schließt nun den Siebenten aus! – Morgen wird ein übriges von euch verlangt! –

Nach einer Pause.

Wir haben den Bogen zu straff gespannt – wir müssen den Pfeil von der Sehne nehmen, bevor er schnellt und – vielleicht – grauenhaft trifft. Wir hätten am Morgen in der Halle ihnen die sechs bezeichnen sollen – dann fiele es jetzt nicht wie ein Schatten auf eure Tat – wie sie den einen ungestüm fordern und euch mißachten. Das läßt mich hier in Scham vor dir stehen! –

Im Aufbruch.

Ich bitte dich – es ist mehr, daß du unsere häßliche Erniedrigung verhütest! – ich scheue mich darum nicht, dies von dir zu verlangen: – beeile – und schicke ohne Säumen den Siebenten zu uns heraus! –

Er nimmt die Hand Eustache de Saint-Pierres – will noch etwas sagen – wendet sich ab und geht nach rechts. Als er die Tür öffnet, schlägt dunkler brausender Lärm herein. Er sieht sich nach Eustache de Saint-Pierre um, der seinen sorgenvollen Blick lächelnd entgegnet – dann rasch durch die Tür ab.

EUSTACHE DE SAINT-PIERRE

überschreitet die Schwelle und geht durch eine Öffnung des Bildteppichs. Von rechts kommt der Fünfte Bürger – wie Eustache de Saint-Pierre und später die übrigen – sehr reich gekleidet. Hinter ihm der alte Vertraute.

27

DER FÜNFTE BÜRGER

in der Nähe der Tür zögernd.

– Ich kann dich auch jetzt nicht in Entschließungen, die ich am geheimsten hege, einweihen. Es könnte sein, daß ich es bin, der von hier frei herausgeht. Dann kehrte ich – wenn ich zu dir vorher gesprochen – leer und überflüssig an meine Geschäfte zurück. Ich hätte gleichsam mit meinen Plänen – meinen Hoffnungen mein Wissen mit dir vertauscht – und du besetztest meine Stelle so gut wie ich selbst. Damit fiele zugleich das beste Glück von meinen Entwürfen ab. Denn es ist so mit diesen: sie vertragen die Mitteilung nicht. Daran würden sie dürr und kahl – und versickern kraftlos und gelangen nicht zu ihrer Wirkung. Nur solange wir sie in uns verbergen – wie der Schoß der Erde den Keim lange verschließen muß – nährt sie unser Glauben – schwellt unsere Kühnheit – stößt sie unser Willen – oft mit Irrtum – doch stets in die Vollendung. Du verstümmelst deine hohe Lust, wenn du ihre Wurzel – auch vor dem nächsten Vertrauten – ausgräbst! – Der bist du. –

Er seufzt.

Ich weiß nicht, wie diese Stunde über mich entscheiden wird. Wüßte ich es – so wäre alles mit einem Male leicht und klar. Das macht es dunkel und schwer. –

Er gibt dem Vertrauten die Hand.

DER VERTRAUTE

nimmt sie schnell und küßt sie.

DER FÜNFTE BÜRGER

Nun ist die Nacht kurz, um noch alles zu sagen. Warum hatten wir nicht den langen Tag?

DER VERTRAUTE

bückt sich tief über die Hand.

DER FÜNFTE BÜRGER

lächelnd.

Weil einer das lange Leben gewinnen kann!

DER VERTRAUTE
schwach.

Du bist es!

DER FÜNFTE BÜRGER

Siehst du zwischen meinen Fingern das Los?

DER VERTRAUTE

Deine Pläne – deine Entwürfe können nicht untergehen. Sie schieben es in deine Hand!

DER FÜNFTE BÜRGER

Der Siebente ist unter uns –

DER VERTRAUTE

Du wirst als Siebenter gezählt!

DER FÜNFTE BÜRGER

Jeder ist es doch – und keiner! –

Er geht von ihm – durch den Teppich ab.

DER VERTRAUTE

entfernt sich ohne aufzublicken.

DER DRITTE BÜRGER

kommt – geleitend die Mutter an ihren vorgestreckten Armen – bis zur Mitte. Nach einem Warten – gedämpft.

Mutter!

DIE MUTTER

röchelnd.

Sohn –!

DER DRITTE BÜRGER

besorgt.

Willst du hier warten?

DIE MUTTER

Ich – kann nicht warten! – – Ich habe gewartet – ich habe mich nicht geschont. Ich bin nicht schwach geworden – ich bin nicht feige gewesen – ich habe nicht gerastet – ich bin nicht um Gliedesschmale abgewichen –: ich bin den Weg hierher gestrauchelt – hundertmal vom Morgen an! – Ich habe meine Füße in die Dornen gesetzt – hin und her! – Ich habe das Schwert aus meinem Herzen gezogen und wieder hineingestoßen – hundertmal – nun ist alles Blut ausgeflossen – nun zittern meine Knie – und schwanken meine Kräfte von mir – ich wollte sie halten!

DER DRITTE BÜRGER

blickt stumm auf sie.

DIE MUTTER

sich mehr aufrichtend.

Was ist Schmerz vor diesem: – Worte zu stammeln – die dumm sind! – graue Motten, die flattern!

DER DRITTE BÜRGER

Mutter – ich höre dich!

DIE MUTTER

heftig.

Wie sollen sie mir kommen? Wie sollen, die unter meinem Herzen drängen, sich lösen? –

Ruhiger.

Du machst mich arm in dieser Stunde – du stiehlst mir meine Liebe – du schlägst auf meinen Mund und auf meine Brust wie mit dicken Tüchern! – Du gehst mit mir – du stehst neben mir da – ich taste und streife dein Haar und dein Kleid – – ich bin gleich außer aller Sorge. –

Fast verwundert ihn anschauend.

Das Kind ist ganz unversehrt! – Was geschieht denn? – Dein Haar ist es und dein reichstes Gewand! – – Warum trägst du es nur heute? Welcher Tag fiel von den Glocken? Ich bin nicht gerüstet wie du – sie sind in den Straßen alle nicht geschmückt wie du – sie feiern kein Fest: – –

Verwandelt starr.

Ist deine Hand kalt – oder heiß? Ich die noch heiß oder –

Mit wachsendem Ausbruch.

Sie ist steif und schauerlich kühl – sie hebt sich nicht – sie lockert nicht im Nacken – sie zerrt die Schlinge nicht auf – sie schleudert den Strick nicht weg – nun weiß ich ja! – Nun bin ich nicht mehr lahm – nun kann ich mich über dich werfen – und dich umschlingen – eng wie nie! – Nun bin ich nicht mehr stumm – nun bricht der Schrei aus mir, der das letzte weckt: – du bist mein Sohn – ich bin deine Mutter!

DER DRITTE BÜRGER
sucht sie sanft von sich zu lösen.

DIE MUTTER
sich dicht an ihn schmiegend.

Nun sinkt das Dunkel – das nimmt mich auf – und beschwichtigt meine Mühe. Kein Stoß rüttelt mich – Angst hetzt mich nicht – um was noch Angst? – Ich sitze geborgen in meinem Leid – das Leid schattet über mir – Leid ist die Zuflucht – Leid ist Frieden, der alle Zweifel milde tötet!

DER DRITTE BÜRGER
Du mußt dich an dieser Hoffnung aufrichten. Mutter – die noch ist!

DIE MUTTER
sieht ihn an, dann hell.

Ich habe dich mit Ächzen geboren – ich habe dich mit Lachen gesäugt – ich habe dich mit jubelnden Tränen erlitten – je und je! – Du bist aus mir geschritten und in mich heimgekehrt zu jeder Zeit! – Gestern – eben noch – du kommst heute wieder – dich trifft das erste und das sechste nicht – du legst mir dein Los in den Schoß –

Ihre Hände wie um einen Gegenstand schließend.

das ich lachend drehe wie meinen bunten Spielball! – –

Sie wendet sich ab.

Jetzt kann ich warten – jetzt bin ich stark – jetzt gehe ich hoch und starr meinen Weg. Was kümmert mich das hier?

Tief gebückt und schleppenden Ganges gelangt sie zur Tür – ab.

DER DRITTE BÜRGER

strafft die Schultern und schreitet über die Schwelle durch den Teppich.
Der Vierte Bürger – die Frau des Vierten Bürgers und die alte Wärterin mit dem jungen Kinde auf dem Arm kommen.
Der Vierte Bürger und die Frau gehen bis in die Mitte.

DER VIERTE BÜRGER

schon einen Fuß auf die Schwelle stellend, heiter.

Es ist nicht mehr als ein Gang aus dem Tor an einem schönen Sommertage. Über dem Sande flimmert die erhitzte Luft, doch vom Meer bläst eine linde Kühle. Ist nicht beides in dieser Stunde? – Dieser Druck ist Abschied – und dieser Druck wird Begrüßung. Das liegt so dicht beieinander, daß wir es nicht trennen. Die Waage taumelt, bis sie anhält. Heischt es nicht die kleinste Klugheit von uns, froh zu bleiben?

DIE FRAU

blickt ihn lächelnd an.

DER VIERTE BÜRGER

Wir wollen nicht klug sein und um die winzige Spanne feilschen. Wer würfelt die Pfennige, wenn die Schulden sich über ihm türmen? Selbst von dieser Schwelle drehen sich unsere Blicke zurück. Damit tilgen wir ein wenig an ihnen. War die Zeit zwischen uns nicht wuchernd von Reichtum? Unsere Jahre gereiht ohne Lücke zu Ringen einer blanken Kette? Du nicht Glanz am Morgen – noch abendliches Glück? – Nun schleppen wir die schimmernde Last um Schultern und Leib, daß wir fast nicht schreiten können. Wir stehen blinkend gefesselt – wie Schuldige!

DIE FRAU

hebt die Hand gegen ihn.

DER VIERTE BÜRGER

verwundert.

Nicht sprechen – nicht danken?

DIE FRAU

schüttelt verneinend den Kopf.

DER VIERTE BÜRGER

begreifend.

Nun bist du die Klügere. Du bist Frau, die besser sorgt. Du hütest die Kammer im Hause und verteilst heute mit vorsichtigem Maß. Morgen sind wir vielleicht wieder hungrig!

DIE FRAU

nickt.

Morgen vielleicht – ich weiß nicht! – Heute vergeuden wir – heute messen wir nicht – heute schlagen die blühenden Wogen um uns zusammen – was sättigt uns, wenn wir morgen auftauchen? –

Stärker.

Wenn wir jetzt das Bild aufrollen – und in einem Blick, der ganz umfaßt, das volle Leben in einer Flamme versammelt aufbrennt? Muß der Tag davor morgen nicht blind sein? Ein Tag, der dunkel kriecht, unter dem Leuchtfeuer, das wir jetzt mit jäher Hand anzünden? Dieser Tag – und Tage, die einzeln kommen – und ihren Aufwand noch schürfen müssen aus jedem kleinen und kleinsten? Es ist leichtsinnig zu danken, wer nicht am Ende aller Gaben rastet. Das nächste Geschenk machen wir dürftig – und die wir es empfangen, verwandeln sich ärmer mit jedem Glück!

DIE FRAU

blickt fest zu ihm auf.

DER VIERTE BÜRGER

Drückt es auf dich nicht schwerer – stumm zu stehen? Wer kennt den Wandel der kommenden Stunde? Wie wir darin verändert sind? Dann kann es spät sein – uns macht die Entscheidung dumpf und stumm. Dann haben wir uns versäumt – uns – uns! Über dein einsames Leben fällt nicht dieser Schein heißesten Geständnisses – ich habe dich verlassen, wie man in der Dämmerung von Haus und Liebe schleicht! – Ich mache dich bettelarm – ich häufe nicht die Schätze bei deiner Tür – du wirst nicht essen – du frierst – du bist in den Straßen ein lungerndes Ding! – Ich kann dir nichts geben – dies nicht und jenes nicht mehr – siehst du es jetzt: – ich bin doch ein leerer Schatten zwischen jetzt und nun!

DIE FRAU
legt ihre Hand auf sein Gewand und weist auf die Wärterin.

DER VIERTE BÜRGER
lächelt und führt sie mit sich hin.

DIE FRAU
Dein Kind – mein Kind!

DER VIERTE BÜRGER
überwältigt und mit einer schützenden Gebärde das Kind an sich reißend – mit erstickter Stimme.

Um dich – um dich –!

DIE FRAU
sinkt an ihm nieder.

DER VIERTE BÜRGER
mit einer freien Hand nach ihrer Schulter greifend, um sie aufzurichten.

Ich komme – ich komme. –

Er gibt das Kind der Wärterin zurück; die Frau dicht an sich schließend.

Ich – komme!

Mit raschen Schritten erreicht er die Öffnung im Teppich und verschwindet ohne Blick und Gruß.

DIE FRAU
auf die Wärterin gestützt – ab.

Von rechts: Jean d'Aire – an einer Seite eng die zwei Töchter, die sich umschlungen halten, unter seinem Arm führend – zur anderen gehen Jacques de Wissant und Pierre de Wissant nebeneinander her.

JACQUES DE WISSANT
den Arm Jean d'Aires angreifend.

Du sollst nicht hineingehen. Du mußt umkehren. Halte hier an und schicke uns hin! –

Zu Pierre de Wissant.

Unterstütze mich doch – und beschwöre ihn mit deinen Bitten.
Soll es nicht genug sein, wenn zwei aus einem Kreise scheiden?

JEAN D'AIRE

Wollt ihr mich zum Mörder der anderen da drinnen machen?

PIERRE DE WISSANT
kopfschüttelnd.

JEAN D'AIRE

Gaukelt nicht über jedem Haupte da drinnen noch eine Möglichkeit, an die wir geklammert sind – wenn sich auch unser
bester Wille sträubt! – Das Leben ist stark – ich sehe auf ein langes Leben zurück und finde es in allem überwiegend. Diese
Erfahrung könnt ihr nicht teilen!

JACQUES DE WISSANT
Pierre de Wissant ansehend – wie dieser vorher.

Das ist es nicht!

JEAN D'AIRE

Ihr eilt mit euren Wünschen hinaus – und wo das Bedeutende
winkt, lauft ihr hinzu. Das ist eurer Jugend Tollheit. Euer Ziel ist
ohne Weg. Aber der Weg ist oft wichtiger als die Ankunft – und
schwieriger zugleich. –

Die Aufmerksamkeit auf seine Töchter lenkend.

Am Wege bleibt vielerlei – ihr hastet vorüber. Dürft ihr von jeder
Möglichkeit schon ablassen? – Ihr begehrt nach dieser Tat, die
euch hoch stellt und in eure Namen ein Brausen füllt, das nicht
mehr verweht!

JACQUES DE WISSANT und PIERRE DE WISSANT
verneinen heftiger.

JEAN D'AIRE

Euch ruft es an –

In bezug auf die Töchter.

35

– diese erstickt der Schwall. Da sind Tat und Opfer in ein unentwirrbares Knäuel verstrickt! –

Stärker.

Was schickt ihr mich hinaus – mit welchem Vorteil bin ich entlassen? Was gebe ich hin – womit bringe ich mich noch dar? Was bleibt mir noch schwer zu verschenken? Was geizt der noch, der seine Töchte in die Arme von Männern – in eure Arme legt? – Es ist so gering, daß ich einen von euch – spielt sich das eine Los mir zu – es hinzunehmen bitte! –

Die Töchter drängen sich an ihn.

JACQUES DE WISSANT und PIERRE DE WISSANT
blicken zu Boden.

JEAN D'AIRE

Ihr versteht mich nicht. Ich schweife an euch vorbei. Es ist schade um diese letzte Gelegenheit. Danach ist jeder mit sich selbst beschäftigt – und ihr verliert einander – ohne halten und hemmen. Ich warne euch hier!

PIERRE DE WISSANT
sich aufraffend.

Du sollst umkehren – du kannst hinausgehen – du bist älter als jeder. Darum kann es niemand außer dir noch. Und wäre einer hier – nicht du – nicht dieser – nicht der – der mit irgendeinem Rechte aufbräche – wir würden ihn bis an die Tür geleiten und den Saum seines Kleides küssen!

JEAN D'AIRE
sieht ihn erstaunt an.

JACQUES DE WISSANT
aufbrechend.

Dieser Tag wäre zu Ende – der steinigt mit nein und ja!

PIERRE DE WISSANT
schwer.

Der uns die Frist verkümmert – für Worte!

JACQUES DE WISSANT

ungestüm wie früher.

Sie glühen uns auf der Zunge – sie verbrennen unsere Lippen – wir sollen nicht aufschreien!

PIERRE DE WISSANT

Wir müssen warten – und die Zeit verstreicht!

JACQUES DE WISSANT

ganz wirr.

Um nicht lächerlich vor uns hinauszugehen – mit dem siebenten Los!

JEAN D'AIRE

verstund, lächelnd.

Sucht ihr Worte? Seid ihr nicht Liebende? Suchen Worte einen Wunsch – erfüllen ihn Worte? – Scheltet nicht auf das Ja und Nein dieses Tages – das hat euch bewahrt. Worte – das lerntet ihr noch nicht – schmälern vom Wert. Und haltet ihr nicht eure Liebe am höchsten? – Treibt ihr Schacher mit dem Tag? Gilt der Tag euch einen Deut? Für Braut und Bräutigam? – Die Hoffnung, unter sieben der Siebente zu sein, ist ungewiß – so freut euch an dieser Zuversicht: – in der letzten Nacht euer erstes Fest zu feiern!

Er schiebt die Töchter gegen die zwei, wendet sich um und geht durch den Teppich. Die vier stehen einander stumm gegenüber.

JACQUES DE WISSANT

die erste Tochter umschlingend, stammelnd.

Ich will nicht der Siebente sein!

DIE ERSTE TOCHTER

Jetzt warte ich auf dich!

PIERRE DE WISSANT

hat die zweite Tochter an sich gerissen.

Ich lüge mich um das siebente Los für diese Nacht!

DIE ZWEITE TOCHTER
hingegeben.

Ich will in dieser Nacht leben!

Dann gehen die Schwestern langsam von ihnen – den Kopf nach ihnen gewendet und schwach winkend kommen sie bei der Tür an. Ab.

Jacques de Wissant und Pierre de Wissant stehen auf der Schwelle: wie sie sich umdrehen, wird der Bildteppich nach den Seiten geöffnet. Der nun sichtbare Saal hat bedeutende Tiefe. Hohe Wandflächen und Deckenbezirk belädt die Schmückung aus Erzen und Gestein der Länder des Erdballs und glitzernden Muscheln des Meeres. Eine Tafel – näher der Schwelle – steht zu einem Mahl gerüstet: sieben silberne Becher, Teller. Mitten unter blauem Tuch eine Schüssel. Zwei ernste Bucklige – Diener – haben den Bildteppich ganz zurückgestreift und gehen von den Ecken vorn nach einer Tür links unten.

Hinter der Längsseite der Tafel sitzen: Eustache de Saint-Pierre in der Mitte, links weiter der Fünfte Bürger und der Vierte Bürger – ein Sitz ist hier frei; rechts der Dritte Bürger und Jean d'Aire; vor dieser Querseite ist ein leerer Sitz.

EUSTACHE DE SAINT-PIERRE
Jacques de Wissant nach links weisend.

Jacques de Wissant, suche hier deinen Sitz! –

Zu Pierre de Wissant.

Du sollst der Letzte am anderen Ende der Tafel sein, Pierre de Wissant. Wir müssen euch Brüder weit voneinander setzen, daß ihr den Ring, der sich bis auf die Lücke schon schloß, nicht wieder sprengt! –

Wieder zu Pierre de Wissant.

Du bist der Nächste der Tür. –

Gegen Jacques de Wissant.

Du erreichst sie zuletzt. –

An die anderen.

Zwischen diesen kommen wir später und früher an. –

Mit hervorbrechender Heiterkeit.

Später oder früher – was beeilen wir die wenigen Schritte, die wir noch zu bemühen haben. Kein Morgen drängt – keine Pflicht besorgt – wir feiern am Morgen und Mittag die Muße, wie ihr keiner frönt!

Die beiden Bucklign haben gehäufte Schalen dunkelblauer Trauben, grüner Feigen, gelber Äpfel auf den Tisch getragen.

EUSTACHE DE SAINT-PIERRE

Wir wollen das Mahl genießen, Früchte! – Wer will aufstehen, ohne sich zu sättigen? – Das Auge labt sich daran – der Gaumen schmeckt an sprießender Süße, die ein Land sott, das wir nicht sehen. Nun rollt die reife Frucht auf unsere Hand! – Verlohnte es sich nicht unseres Eifers, mit dem wir das Meer zur Brücke von Küste zu Küste wölbten, um dieser saftigen Früchte willen? – Genießt doch!

Die anderen verharren stumm und reglos.
Die Bucklige bringen die Gefäße, die Wein enthalten, und stellen sie hin.

Nun bleiben sie hinter Eustache de Saint-Pierre stehen.

EUSTACHE DE SAINT-PIERRE

Wein –! Wen dürstet schwächer, um nicht am Tisch zu bleiben? Wer steht auf und schiebt den Stuhl an den Tisch und dreht sich um und geht hinaus? – Prüft doch die Flut! –

Er sieht um den Tisch – dann nimmer er eine Frucht von der Schale.

Wir sitzen um diesen Tisch – wir suchen das gleiche Ziel – der Willen ist einer – so teilen wir noch die gleiche Speise!

Er zerschneidet die Frucht siebenfach. Er gibt dem einen Bucklingen den Teller, beide Bucklige gehen um den Tisch: der zweite legt nun von rechts anfangend jedem auf – Eustache de Saint-Pierre auslassend, dem er dann den Teller mit dem letzten Fruchtstück wieder vorsetzt.

EUSTACHE DE SAINT-PIERRE
gießt Wein in seinen Becher aus.

Wir zehren von dieser Frucht – nun mundet uns derselbe Wein!

Der erste Bucklige trägt den Becher Pierre de Wissant hin. Dieser trinkt, gibt an den Bucklingen zurück. Mit der Ausnahme von Eustache de Saint-Pierre trinken alle; Eustache de Saint-Pierre erhielt den Becher zuletzt und trank.

EUSTACHE DE SAINT-PIERRE

Wir haben getrunken – nun genießt doch!

Er verzehrt das Fruchtstück. – Die anderen – gebückt auf den Tisch – tun wie er.

Die Tür rechts vorn wird geöffnet. Jean de Vienne tritt ein und hält sie noch auf: dunkler Lärm der Menge dringt ein.

EUSTACHE DE SAINT-PIERRE
lächelnd.

Jean de Vienne, wir halten das Mahl. Früchte und Wein erquicken uns jetzt!

JEAN DE VIENNE

schließt und tritt unten vor die Mitte.

Ich komme ich den Saal, weil mich die Sorge treibt. Die Unruhe, die sich bei dem Anblick des ersten gedämpft hatte, ist mit dem letzten, der hier hereinging, nun von neuem ausgebrochen. Sie murren und rufen schon laut nach einem. Er soll heraustreten und sich vor ihnen zeigen – um dieser Ungewißheit das Ende zu setzen! – Er ist dieser Krampf, der das Bürgervolk von Calais verwandelt hat und es meinen Augen fast unkenntlich macht: – mit dem sie an ihre Rettung glauben, wenn der Siebente sich von euch scheidet. Es ist nicht dies, daß sie an dem festen Willen eines von euch zweifeln – dieser Vorwurf schändet sie noch nicht! – das Warten seit dem frühen Morgen hat ihre Kraft geschwächt. Nun schwillt sie vor der nahen Entscheidung ohne Widerstand auf! – Eustache de Saint-Pierre, ich weiß, was ich von dir – von euch bitte! – Eustache de Saint-Pierre, schicke die Gewißheit – antworte ihrem Verlangen – es ist viel für jene – für euch gering: ihr feilscht nicht um die karge Frist!

EUSTACHE DE SAINT-PIERRE

Du trägst die Stimmen, die draußen lärmen, in den Saal zu uns. Wir hören ein dumpfes Geräusch und ein pfeifendes Zischen – unsere Ohren dröhnen davon – unser Kopf denkt es nicht. Unsere Tat wartet doch morgen auf uns – müssen wir nicht unsere Ungeduld zügeln? –

Rasch.

Unser Mahl ist beschlossen – das ist, was du aus dem Saal berichten sollst. Sage es doch schnell, Jean de Vienne!

Auf einen Wink beginnen die Bucklinge die Tafel abzuräumen.

JEAN DE VIENNE

wartet noch, dann geht er eilig nach rechts ab.

Die beiden Bucklinge haben ihren Dienst vollendet und entfernen sich nach links hinten.

Auf dem Tisch ist nur die verhängte Schüssel stehengeblieben

EUSTACHE DE SAINT-PIERRE

Es ist leer über dem Tisch – nun können die Reden um den Tisch laufen. So wird das Mahl vollkommen. Wer teilt nicht beides klug, um jedem das volle Maß zu geben? Ihr schwiegt, als ihr aßet – jetzt ist euer Mund doppelt beredt. Nun verschwendet er gerne seine heimliche Lust – so müssen wir von dem Schwersten reden, das dieser Tag auf uns legte! –

Er wendet sich zu dem Fünften Bürger neben sich.

Was ist es, das dich zwischen dem frühen Morgen und deinem Gang hierher mehr denn alles beschäftigte?

DER FÜNFTE BÜRGER
vor sich hinblickend.

Ich habe einen alten Vertrauten, den führte ich bis an die Schwelle dieses Saales. Ich wollte ihm von Plänen, mit denen ich mich trage, mitteilen. Ich wollte ihn in meine Entwürfe – verborgene Hoffnungen einweihen. – Ich konnte es nicht. Meine Zunge war gebunden. War es denn das letzte Mal, daß ich zu ihm redete? Entäußerte ich mich nicht voreilig meines Eigentums? Und mußte ich ihn nicht einsetzen, um es vor dem Verluste zu retten? Eins stieß – jenes hemmte. Und zwischen Stößen und Widerstreben entstand die Marter dieses Tages, die ihren Stachel scharf stach: – die Ungewißheit des letzten Ausgangs!

Die anderen haben die Köpfe erhoben und sehen mit einem betroffenen Staunen nach ihm.

EUSTACHE DE SAINT-PIERRE
mit rascher Wendung zum Dritten Bürger neben sich, verwundert.

Was ist ärger, als in der offenen Halle aus den Reihen aufzustehen und vor alle hinzutreten? War dein Entschluß nicht am schwersten zu fassen, mit dem du dein helles Gewand vor dir streifst – und mit dem Kleide dein langes Leben? Ist eins noch bitter bei diesem?

DER DRITTE BÜRGER
nickt schwer.

Mich geleitete eine greise Mutter. Ihr Mut blieb fest – mit dem sie am Morgen den Entschluß des Sohnes hörte. Hier lag sie klagend an meinem Leib! –

Betrog ich sie nicht um den Abschied? Erstickte ich nicht ihren Schrei, mit dem sie mich wieder zu sich riß? Glitt ich nicht hin ohne Wesen? Kehrte ich nicht wehend in ihren Schoß zurück? Häufte ich nicht den kreißenden Schmerz in hundertfacher Wiederkunft? – Derselbe Atem entließ mich und begrüßte mich. Ein ungeheures Wirrsal drehte den sausenden Wirbel. Und die Ungewißheit machte sie stammeln – sie verdrehte ihre Worte – sie fand keins und schlich von mir – arm und leer – um ihre Schätze geplündert, die sie nicht vor mir ausbreiten konnte! –

Den Kopf aufstützend.

Sie litt mein Leiden – sie klagte meine Klagen. Aufzustehen und für alle hinzutreten – ist leicht. Die Last, die mich zu Boden biegt, bürdet diese Tat nicht auf. –

Er spreizt die Hände über dem Tisch.

Diese Tat – wo ist sie? – –

Eine Unruhe löst sich um den Tisch, die den Dritten Bürger bestätigt.

EUSTACHE DE SAINT-PIERRE
sich gegen den Vierten Bürger vorbeugend.

Du kamst nach diesen beiden. Gingst du langsamer, weil diese Stunde dir kostbar wurde, wie keine deines Lebens? Zähltest du sie mit Schritten ab – wie Finger den Wert der Ringe einer Kette, weil sie entgleitet? Drohte der Schatten deines Entschlusses dunkel? Saugst du das ewige Licht, das dir noch leuchtet, nun mit heißerer Begierde?

DER VIERTE BÜRGER

Ich ging von meinem Hause – und die im Hause immer mit mir war – ging mit mir. Wir schritten nebeneinander ohne Hast und ohne Halt – wie an einem schönen Sommerabend aus der Stadt. Das Blut klopfte nicht schneller – und staute nicht. Es ist ein Tag wie jeder. –

Mehr in sich versunken.

Das Licht floß gestern durch ihn – so strömte es von Anfang unserer Zeit miteinander. Kein Schatten löschte je – kein Dunkel brauste je – kein Verlangen, das sich nicht stillte – kein Glück, das sich uns beiden nicht bescherte. Ist es nicht recht und billig, daß morgen eine schwarze Wolke sich türmt? – Muß ich nicht in sie hineingehen – beladen mit meiner Schuld? Rufe ich nicht Dank – Dank – wenn sie mich mit ihrer Gewalt zermalmt? – Bin ich nicht lüstern danach – schwingen nicht meine Lippen – spannen sich nicht meine Arme, an mich zu reißen die, der ich danken muß – mit glühenden Worten – in dringender Verschränkung? – Sind ihre Lippen nicht geöffnet – ihre weißen Hände nicht nach mir gestreckt – wartet ihr bereiter Leib nicht auf Ergießung, die sich erschöpft mit diesem Mal? Sind wir nicht zueinander getrieben – und auf der Stelle gelähmt? – – Unsere Arme fielen müde herab – unser Mund blieb stumm – wir standen steif und fremd. – Wer will den Dank sagen, wenn das Geschenk nicht ausgegeben ist? Wer lästert das neue Geschenk mit seinem frühen Genügen? Wer will danach geben und hinnehmen, ohne die Scheu zu prassen? – Diese Stunde vernachtete das tiefste Dunkel. Aus ihm herauszugehen – ist der einzige Wunsch, der brennt. Entlassen oder überliefert – es ist eins und gleich. Überliefert, es peinigt nicht – entlassen, es verlockt nicht: über jenem und diesem erleuchtet endlich die Gewißheit.

Jacques de Wissant und Pierre de Wissant sind zugleich aufgesprungen und strecken die Arme nach der verhängten Schüssel.

EUSTACHE DE SAINT-PIERRE

Jacques de Wissant – Pierre de Wissant, seid ihr nicht Brüder? Am Morgen verwies es euch euer brüderliches Blut, vor dem andern beiseite zu stehen und mit ihm sein Leben zu verdienen, als ihr zugleich und einer zuviel aus den Reihen stiegt. Entzweite euch die Hitze des Tages? Gönnt ihr das eine Los dem andern nicht mehr. Will es jeder schnell erraffen? –

Einer Entgegnung zuvorkommend zu Jean d'Aire.

Was ist es, das dir den Weg in diesen Saal weit und finster verwandelt?

JEAN D'AIRE

Ich gehe weite Wege nicht mehr. Jeder Weg ist kurz – das Ziel ist nahe. Ich sehe es so dicht vor mir, darum trübt es kein Staub. Es ist hell um mich – das Dunkel ist gewichen: ich kenne, wohinaus ich walle. Meine Zeit ist ausgeschenkt – meine Schätze sind ausgeteilt. Ich halte nichts mehr mit diesen dorren Fingern! – Welchen Teil gewinne ich an der Tat, zu der ich mich bereite?

43

Schmarotze ich nicht an dem Lob, das euch dröhnt? Bin ich nicht der schellenklingende Narr bei euch? Ich brüste mich – und mir geschieht doch nur, was noch geschehen muß. Von der untersten Stufe meines Alters steige ich herab – eine tiefere breitet sich nicht – was schwankt mein Schritt? – ich weiß alles – durchsichtig ohne Wand liegt der Rest. Fasse ich das eine Los – oder verliere ich damit, es ist kein Unterschied. Darum vergebt und zollt meiner Scham, daß ich mit euch am Tisch sitze! –

Lebhafter.

Ihr seid würdig – ihr leidet die Qual. Ihr habt zwischen vielem zu wählen. Ihr sollt verzichten – ich bin schon leer. Ihr sollt eure Augen vor allem Licht und Mittag verschließen – ich bin schon blind. Ihr sollt die Luft im Halse erwürgen – meine Brust ist schon tot. Von euch wird das Schwerste gefordert – mir gilt der Ruf nichts mehr: – ich bin vor allem Taumel geborgen – ich bin von jedem Ja und Nein des Ausgangs geschieden – mein Los ist eins – ob dieses oder jenes – es friert mir aus dem Eis meiner Jahre – ich ruhe in dieser Unruhe – mit meiner schönen Gewißheit.

Die Bewegung um den Tisch hat sich mit den letzten Worten Jean d'Aires mehr und mehr gesteigert. Hände greifen nach dem Tuch über der Schüssel.

PIERRE DE WISSANT

aufrecht, seine Fäuste an die Schläfen drückend.

Ich will der erste vor euch morgen aus der Stadt gehen – ich will den Kopf nicht nach euch drehen – ich will den Strich vor mich strecken und die Schlinge eifrig rücken – und lachen und lästern –

Ausbrechend.

Ich will das letzte Los nicht – ich will mein Los!

JACQUES DE WISSANT

stammelnd.

Ich will das siebente nicht – ich will das erste nicht – ich suche mit keinem das Leben nach dieser Nacht! –

Im Ausbruch.

Ich will mein Los – ich will mein Los! –

Röchelnd.

Das andere reizt zum Wahnsinn!

DER VIERTE BÜRGER

zu Eustache de Saint-Pierre.

Schicke die Schüssel um den Tisch!

DER FÜNFTE BÜRGER

dringender.

Eustache de Saint-Pierre – schicke die Schüssel um den Tisch!

JACQUES DE WISSANT, PIERRE DE WISSANT
und DER DRITTE BÜRGER

im Schrei.

Schicke die Schüssel um den Tisch!

JEAN DE VIENNE

in Hast von rechts. Er schließt die Tür nicht, geht schnell bis zur Mitte. Ungehindert dringt der Schall von draußen: ein kreischendes Schreien, ein heulendes Winseln, Johlen und grelles Pfeifen.

JEAN DE VIENNE

Eustache de Saint-Pierre sie wollen nicht länger warten. Sie fordern den Siebenten. Sie schreien über mich hin – ich mahne sie nicht mehr zur kleinsten Geduld! – Ich habe die Wächter vor den Eingang gestellt – doch vertraue ich nicht der schwachen Macht. Euer Säumen zögert den Aufstand heran, den wir nicht bändigen. Die Folgen sind für alle furchtbar! – Eustache de Saint-Pierre ich habe die Scheu nicht mehr – ich flehe von dir: – schicke den Siebenten hinaus!

EUSTACHE DE SAINT-PIERRE

Du kommst um ein kleines zu früh –

JEAN DE VIENNE

Es wird um ein kleines zu spät!

45

EUSTACHE DE SAINT-PIERRE

unbeirrt.

– und störst im Saal: siehst du nicht, daß jede Hand ausgestreckt ist? –

Heftig.

Willst du unseren Gleichmut erschüttern, der uns um diesen Tisch wie zur Feier versammelt? Ist er uns nicht nötig? – Du dringst mit diesem Ungestüm ein: – lacht nicht jenen das Licht – spielt nicht die laue Luft an ihren Stirnen? – Schone uns doch vor dem Lallen und Greinen! – Freut euch der Sonne und Wärme – indes wir das Dunkel und die Kühle wählen!

JEAN DE VIENNE

Eustache de Saint-Pierre, ich will hier warten und mit dem Letzten herausgehen!

EUSTACHE DE SAINT-PIERRE

noch stärker.

Du bist fremd zwischen uns – du hast das Mahl nicht am Tisch gegessen – du hast nicht mit uns getrunken – du bist von uns geschieden, wie jeder nun jenseits tiefer Klüfte steht!

JEAN DE VIENNE

Eustache de Saint-Pierre, dauert es noch?

EUSTACHE DE SAINT-PIERRE

Wir sind bereit!

JEAN DE VIENNE

geht mit gebeugtem Nacken nach rechts ab. Es herrscht lautlose Stille.

EUSTACHE DE SAINT-PIERRE

zieht die verhängte Schüssel zu sich.

Die blaue Kugel ist kalt auf der Hand – und erklätet das Leben. Wem rollt sie – wem rollt sie nicht? Nun bin ich mit euch begierig! – Jacques de Wissant – Pierre de Wissant, ihr stellet das Spiel an – so leitet es ein. Diesmal soll euch die erste Kugel trennen, mit der ihr den Ausgang nicht wieder verwirrt! –

Er reicht dem Fünften Bürger neben sich die Schüssel, dieser gibt an den Vierten Bürger. – Der Vierte Bürger bietet Jacques de Wissant an. Die anderen verharren in hingenommener Aufmerksamkeit.

Eustache de Saint-Pierre sieht vor sich auf den Tisch.

JACQUES DE WISSANT

öffnet mit linker Hand knapp das Tuch und schiebt die rechte hinein. In noch dicht umschließenden Fingern holt er heraus – streckt den Arm lang und tiefhaltend über den Tisch und – zeigt auf gewölbter Handfläche blaue Kugel dar. Alle Blicke drehen sich nach Eustache de Saint-Pierre, der seine Haltung nicht verändert.

JACQUES DE WISSANT

drückt die Hände, darin die Kugel, auf seine Brust.

DER VIERTE BÜRGER

gibt die Schüssel wieder an den Fünften Bürger – und sucht die Kugel: die er vor weist – ist blau. Danach stützt er die Stirn auf die umfaltenden Hände.

DER FÜNFTE BÜRGER

will an Eustache de Saint-Pierre reichen.

EUSTACHE DE SAINT-PIERRE

sieht flüchtig auf und greift schnell: die blaue Kugel, die er holt, legt er vor sich auf den Tisch – nimmt die Schüssel und hält sie dem Fünften Bürger hin.

DER FÜNFTE BÜRGER

zögert staunend – dann zieht er die blaue Kugel. Es läßt die weit vorgeschobenen Hände offen und wirft den Kopf in den Nacken.

EUSTACHE DE SAINT-PIERRE

wendet sich mit der Schüssel – ohne aufzublicken – an den Dritten Bürger.

DER DRITTE BÜRGER

zeigt die blaue Kugel, legt sie auf den Tisch – um Jean d'Aire die Schüssel anzubieten.

JEAN D'AIRE

sieht Pierre de Wissant an, lächelt – und wählt lange unter dem Tuch. Von neuem sieht er Pierre de Wissant an und öffnet – ohne die eigenen Augen darauf zu lenken – die blaue Kugel.

47

PIERRE DE WISSANT

beugt sich vor – und steht auf.

Ich bin es!

Alle drehen sich bei dem Geräusch und seinen Worten rasch hin – der Dritte Bürger stellt die Schüssel hin.

EUSTACHE DE SAINT-PIERRE

rasch.

Hast du dein Los gegriffen?

PIERRE DE WISSANT

Eine ist übrig – ihr haltet sechs blaue Kugeln!

EUSTACHE DE SAINT-PIERRE

schüttelt den Kopf.

Die Schüssel ist nicht leer – soll danach einer der Krüppel sie ausschütten? –

Er schiebt die Schüssel näher zu ihm, der Dritte Bürger rückt sie schräg über den Tisch ganz dicht vor ihn.

PIERRE DE WISSANT

zuckt die Achseln, zieht das Tuch weg – stutzt und hebt langsam eine blaue Kugel heraus – stammelnd.

Die letzte Kugel ist blau!

Um den Tisch ist es still.

JACQUES DE WISSANT

nun die Seine hinstreckend.

Blau ist diese!

DER DRITTE BÜRGER

ebenso.

Diese ist – wie die letzte!

DER FÜNFTE BÜRGER, DER VIERTE BÜRGER

erst einzeln.

Diese –

48

Nun zusammen.

– sind wie eure!

JEAN D'AIRE
ruhig.

Eustache de Saint-Pierre, haben die dummen Krüppel die Schüssel gemengt?

EUSTACHE DE SAINT-PIERRE
allen Blicken lächelnd begegnend.

Ich weiß es. Ich habe euch dieselben Kugeln gereicht!
Voll betroffener Neugierde ruhen die Blicke auf ihm.

EUSTACHE DE SAINT-PIERRE
lebhafter.

Verwundert euch das? Findet ihr noch nicht den Schlüssel – birst nicht das Rätsel und schüttet sich auf eure Hände? –
Er sieht von einem zum andern, die sich nicht regen. Dann nickt er.

In euch tost der Wirbel dieses Tags – ihr seht das Nächste nicht! –
Sich aufrichtend.

So muß einer von uns führen – ich bringe euch aus dem Wirbel und ans Ende! –
Eindringlich nach rechts und links.

Wer drängte sich an diesem Morgen vor in der offenen Halle? Blänkte nicht um seinen Leib Panzer und Wappen – schoß nicht das steile Schwert von harter Faust? Stäubte nicht vom Kamm seines Helmes gerader Mut? Schwoll nicht die Tat seiner Tapferkeit über jede auf? Schwert, Schlag und hauender Streit – war nicht der heiße Glanz um sie gezogen – vergaben sie nicht den letzten Ruhm und rissen die beste Kraft zu sich? Galt eines vor diesen? Kroch nicht die Scham daran vorbei und begrub sich in die Winkel? –
Nach einem Warten.

Ich ging nicht vorüber – ich stellte mich an ihn und maß meine

49

Taten neben seiner – und schlug ihm das Schwert von der Hand und zerriß die grelle Fahne. Er brach auf – ich blieb!

Tiefvorgebeugten Leibes hören die anderen hin.

EUSTACHE DE SAINT-PIERRE

Womit schlug ich ihm das Schwert aus seiner Hand? Womit zerbrach ich seine Tat – und die Kette dieser Taten, die aus dem Anfang läuft, soweit wir zählen? Wie erniedrigte ich sie ihm – und riet von ihrem Mut? – Verwies ich ihn recht und billig daraus – lästerte ich mit einem losen Wort, wie ich seinen Mut zum Kot stieß? – Wie konnte er sich morgen entzünden, wenn er sich in den Kampf stürzt, der heute entschieden ist? – Und ist heute sein Mut groß, da der Kampf noch nicht geschieht? Springt er nicht in seine Tat –: der Sprung trägt leicht und betäubt ihn mit süßem Schwindel vor den stechenden Pfeilen der Tat; – Macht er seine Tat nicht feige, weil er sie heute beschließt? Schändet er sie nicht, weil er sie nicht bis an das Ende rollt? Heute kippt er den Sturz seines Helmes nieder – ein schweres Dunkel quillt dahinter und erstickt die Luft – morgen fällt ihn ein lahmer Streich nach vielen Streichen – denn vor seinem letzten Hieb ist er schon tot!

Pierre de Wissant ist von seinem Platz gegangen und – sich auf den Dritten Bürger auflehnend – ist er lauschend Eustache de Saint-Pierre nahe. Andere stützen Kinn und Wange auf die Hände.

EUSTACHE DE SAINT-PIERRE

heimlich lachend.

Er schenkte sein Schwert weg – und stieg über die vielen Stufen und trug – Stufe nach Stufe – die Last, die er von meiner Brust hob. Ich atmete auf, als er oben verschwand. Hatte ich ihn denn nicht listig verstrickt? Und schüttelte er sich nicht mit einem Raffen seiner Schultern frei und warf mir mein Garn vor die Füße? Überbot ich denn mit diesem und jenem – mit einem seinen Mut? War nicht meine Entschließung –

Zu einigen.

– deine – deine – und deine – heute von euch gefaßt? Konntest du –

Wie vorher.

– du – du nicht heute jeden Abschied nehmen und dich in dich verschließen, daß morgen außer dir kein Licht – kein Leben mehr quält? –

Umblickend.

Bist du nicht von deiner Tat geschieden – wie er? Entziehst du dich nicht dem Stachel deiner Tat – wie er? Mußt du nicht in Angst sein, daß morgen ein Kind deinen Witz ausruft – und dir an deinen Strick im Nacken die Schelle heftet?

Einige nicken schwer.

EUSTACHE DE SAINT-PIERRE
einen Finger aufreckend.

Wir waren dicht an – vor diesem Witz mit unserem Werk zuschanden zu werden! –

Pierre de Wissant über das Haar steifend.

Da kamt ihr – du und der Bruder – zu meiner Hilfe!

Jacques de Wissant geht hin und legt den Arm um Pierre de Wissant.

EUSTACHE DE SAINT-PIERRE
wechselnd zu ihnen.

Ihr überbotet die geforderte Zahl und sprengtet unsern Kreis wieder, der fast geschlossen war. Der eine von euch beiden gab jedem seinen Entschluß zurück und entließ alle. Nun wurde jeder übrig – der Siebente – der Überzählige hinter sechs –

An die anderen.

Wer war es? Konntest du nicht ausgeschieden sein – nicht du – nicht du – nicht du? Du mit dem gleichen Recht wie dein Nächster? Gingst du nicht jetzt von uns – mußtest du nicht jetzt zu uns umkehren? Wurde deine Tat dir nicht abgenommen und aufgelegt – in einem schnurrenden Wechsel? Konntest du einen Atemzug lang sie verlieren – oder dich in ihr verbergen – in ihrer Notwendigkeit ohne Entrinnen und Lücke? Sie blieb vor euch aufgetan – und das sperre Tor begrub euch nicht! –

An Pierre de Wissant und Jacques de Wissant.

So konnte, der über die Stufen flüchtete, meinen Vorwurf nicht an mich schleudern: durch euer doppeltes Dastehen leistete ich ihm Genüge. Nun war die Entscheidung zwischen uns bis an den Nachmittag hinausgeschoben! – – – –

51

nach ihm aufblickend.

– Wird nicht die Tat – morgen! – von uns verlangt? Ist nicht eine Frist gegeben – von diesem Nachmittag an den Morgen, die reicht – mich dicht und dumpf zu verschließen vor der Qual?

EUSTACHE DE SAINT-PIERRE
hell.

Seht die Kugel an – sie ist euch nicht gelassen! –

Rasch gegen die Bewegung um den Tisch.

Ich spielte mit euch dies Kugelspiel – ich erfand es aus den Erfahrungen dieses Tages. Lockte ich es nicht von euch aus den Gesprächen um diesen Tisch? –

An den Fünften Bürger.

Woran trägst du am schwersten seit diesem Morgen? Besinne dich! –

Weiter zum Vierten Bürger.

Was stieß Stachel und Keile in dein Fleisch? Verhehle nichts! –

Zum Dritten Bürger.

Was wühlte durch dein Blut? Beschönige nicht! –

Auf zu Jacques de Wissant und Pierre de Wissant.

Was quälte euch? Zögert nicht! –

Zu Jean d'Aire, stutzend.

Was beglückte dich so tief? –

Eindringlich.

Dich lullte die Gewißheit ein – euch reizte die Ungewißheit. Dieser Krampf schüttelte euch – er macht euch feige –: ihr verratet die Tat, die von euch brennt!

Pierre de Wissant und Jacques de Wissant gehen nach ihren Plätzen; es ist still um den Tisch.

EUSTACHE DE SAINT-PIERRE
stärker.

Heute sucht ihr die Entscheidung – heute betäubt ihr euern Entschluß – heute überwältigt ihr mit Fieber euern Willen. Ein schweler Rauch trübt um euch von Stirn zu Sohlen und verhüllt den Weg vor euch. Seid ihr würdig, ihn zu gehen? Zu diesem Ziel zu wallen? Diese Tat zu tun – die ein Frevel ist – ohne verwandelte Täter? Seid ihr reif – für eure neue Tat? – Die an allem Bestand lockert – die alten Ruhm verhaucht – die langen Mut knickt – was klang, dämpft – was glänzte, schwärzt – was galt, verwirft! – Seid ihr die neuen Täter? – Ist eure Hand kühl – euer Blut ohne Fieber – eure Begierde ohne Wut? Steht iht bei eurer Tat – hoch wie diese? Ein halbes ist die Tat – ein halbes der Täter – eins zerstört ohne das andere – sind wir nur Frevler? –

Die anderen blicken hingenommen nach ihm über den Tisch.

EUSTACHE DE SAINT-PIERRE

Ihr buhlt um diese Tat – vor ihr streift ihr eure Schuhe und Gewänder ab. Sie fordert euch nackt und neu. Um sie klirrt kein Streit – schwillt kein Brand – gellt kein Schrei. An euerer Brunst und wütenden Begierde entzündet ihr sie nicht. Eine klare Flamme ohne Rauch brennt sie – kalt in ihrer Hitze – milde in ihrem Blenden. So ragt sie hinaus – so geht ihr den Gang – so nimmt sie euch an: – ohne Halt und ohne Hast – kühl und hell in euch – ihr froh ohne Rausch – ihr kühn ohne Taumel – ihr willig ohne Wut – ihr neue Täter der neuen Tat! – – Tat und Täter schon verschmolzen – wie heute in morgen! Wie wollt ihr heute und morgen noch trennen, wenn euer Wille sich nicht mehr von eurer Tat scheidet? Wenn ihr sie leicht und lang bis an das Ende rollt, in dem ihr überliefert seid oder entlassen? Was versucht cuch noch? Was bemüht euch noch? Ist eure Ungeduld nicht verblasen – und tönt als böser Schall vor diesem Saal? –

Er erhob seine Stimme gegen den außen anwachsenden Lärm, der rasch vordringt. Die Tür rechts vorne wird aufgerissen: Jean de Vienne an der Spitze vieler Gewählter Bürger überstürzt herein.

JEAN DE VIENNE

schreiend.

Eustache de Saint-Pierre, die Wachen sind von dem Eingang getrieben – wir haben die Türen geschlossen – sie halten noch Widerstand!

Dauernde Stöße gegen die Tür hallen herein.

Sie stürme die Tür!

Ein krachender Schlag dicht draußen – dem jubelndes Geschrei folgt.

EIN ANDERER GEWÄHLTER BÜRGER

Die Treppe ist frei vor ihnen!

EIN ANDERER GEWÄHLTER BÜRGER

Sie laufen die Treppe hoch!

EIN ANDERER GEWÄHLTER BÜRGER

Sie kommen in den Saal!

EIN ANDERER GEWÄHLTER BÜRGER

Sie wollen sich eines von euch mit Gewalt bemächtigen!

JEAN DE VIENNE

Eustache de Saint-Pierre, wen hat das Los befreit?

EUSTACHE DE SAINT-PIERRE

hat sich aufgerichtet, laut.

Ein Irrtum ist unterlaufen – die Kugeln wurden in der Schüssel vertauscht. Wir haben uns redlich gequält – jetzt mangelt uns die Kraft, das Spiel zu wiederholen! –

Noch stärker.

Wir wollen uns ruhen bis an den Morgen –

Auch an die um den Tisch.

–: mit der ersten Glocke soll jeder von seinem Hause aufbrechen – und wer zuletzt in der Mitte des Marktes ankommt – ist los!

Alle schweigen betroffen.

JACQUES DE WISSANT und PIERRE DE WISSANT

um den Tisch vor ihn laufend.

Eustache de Saint-Pierre –

PIERRE DE WISSANT

allein fortfahrend.

Wir beide gehen morgen von demselben Haus – sollen wir wieder das Spiel verwirren, wenn wir zusammen auf dem Markte ankommen?

EUSTACHE DE SAINT-PIERRE

Sorgt ihr doch um den Morgen? Könnt ihr nicht mit euren jungen Füßen von den anderen laufen und die ersten im Ziel werden? –

Er steht auf.

JEAN DE VIENNE

Eustache de Saint-Pierre, willst du vor den wütenden Sturm draußen treten?

EUSTACHE DE SAINT-PIERRE

denen am Tisch zuwinkend.

Nicht ich – wir sind sieben: – soll es sie nicht besänftigen, daß einer noch zuviel ist? Kann nicht einen von uns über Nacht seine Erregung ohnmächtig machen? Ist es nicht klug, den Überfluß zu bewahren? – Wir wollen es ihnen deutlich sagen!

Die Sieben steigen von der erhöhten Schwelle und gehen an Jean de Vienne und den Gewählten Bürgern vorüber, deren sie mit keinem Zeichen mehr achten, aus der Tür und in den Lärm hinein, der schnell verebbt und verstummt.

Jean de Vienne und die Gewählten Bürger sehen sich staunend an.

DRITTER AKT

Der Markt vor stufenhoher Kirchentür, die – mit ihrem figurenreichen Giebelfeld – den ganzen Hintergrund bis auf zwei schmale Gassen, die rechts und links zur Tiefe laufen, einnimmt. Grau des frühen Morgens schenkt Gebilden und Gestalten schwache Deutlichkeit: die Seiten und noch in die Gassen säumt die dichte Ballung des Bürgervolkes – kenntlich mit blassem Streifen der helleren Gesichter.

In der Mitte bewegen sich die Gewählten Bürger.

JEAN DE VIENNE

Hier ist der Schlüssel. Ich bin mit ihm von langer Zeit vertraut – ich taste an ihm oben jede Krümmung ab und fühle unten an ihm jede Buchtung – mit meinen Fingern finde ich ihn genauer wie mit meinem Kopfe! – an diesem Morgen liegt er fremd auf meinen Händen. Es ist eine Last, die sich durch meine Arme auf meine Schultern schiebt und mit erdrückendem Gewicht auf den Boden zwingen will! – Er erwärmt sich auch nicht von meinem Blute. Ein starrer Frost dringt von ihm aus und erklätet die Haut um mich. Ich friere an diesem kleinsten Erz! – Ich halte ihn mit Mühe fest.

Die Gewählten Bürger stehen still um ihn.

JEAN DE VIENNE

Ich scheue mich, ihn auf andere Hände zu legen. Ich fürchte, daß die stärkste Kraft mit ihm zusammenbrechen soll – der fügsamste Wille bersten. Trägt nicht der die zweifache Bürde hinaus: die er hier empfängt – und jene, mit der ihn sein Entschluß schon belud? – Ich weiß nicht, wem von ihnen ich diese äußerste Anstrengung zumuten soll!

Es herrscht Schweigen.

JEAN DE VIENNE
sich aufraffend.

Ist er euch deutlich, den ich vor den anderen mit dem Schlüssel schicke?

EIN GEWÄHLTER BÜRGER

Der gestern in der offenen Halle vor den anderen zuerst aufstand
– muß der nicht heute vor ihnen schreiten, Jean die Vienne?

EIN ANDERER GEWÄHLTER BÜRGER

Der sie mit seinem Vortreten rief – liegt nicht die Pflicht auf ihm?

JEAN DE VIENNE
steht auf.

– Kann nicht Eustache de Saint-Pierre hier der letzte sein?

Neue Stille.

JEAN DE VIENNE
nach einem Warten.

Ich will keinen bezeichnen. Wer von uns kennt, wie einer aus
dieser Nacht geht? Wer sah schon einen zu diesem Gang hier
ankommen? Ihr bestimmt jetzt diesen und trefft vielleicht den
schwächsten mit eurem Urteil! –

Stärker.

Wir atmen im wehenden Morgen – die herrliche Sonne ist uns
gewiß – wir schelten leicht und frisch! – Ich will nicht diesen oder
einen bestimmen! – –

EIN ANDERER GEWÄHLTER BÜRGER
fest.

Jean de Vienne, wir suchen den Streit von ihrem letzten Morgen
zu nehmen, wenn wir dies vorbereiten: – gib an den ersten von
ihnen, der ankommt, den Schlüssel!

JEAN DE VIENNE
Langsam.

Wer geht den kürzesten Weg von seinem Hause? –

Mit wachsender Heftigkeit und nach den Seiten weisend.

Sind seine Schritte nicht schon gezählt? Lief die Neugierde ihm
nicht voraus und schleppte ihn durch die Straßen – hundertmal?
Rastete der grausame Eifer seit gestern? Tollte nicht das harte
Klappern ihrer flinken Schuhe über den steinigen Grund durch

die Nacht? Scholl es nicht, als schleuderten sie mit einem Sturm von Steinen nach einer Scheibe? – Sie haben sich ein schändliches Spiel daraus gemacht und das hat ihre Ungeduld unterhalten – jetzt erwarten sie die Erfüllung, um voreinander zu prahlen, wer klüger rechnete! – Ich habe nicht die Macht, sie von den Rändern des Marktes zu treiben – ich gönne ihnen den Anblick nicht! –

Zu den Gewählten Bürgern.

Höret ihr nicht – maß nicht auch schon einer eurer Gedanken die mindeste und die längste Strecke vor: – wer ist der nächste zu seinem Ziel?

MEHRERE GEWÄHLTE BÜRGER
dumpf, zögernd.

Eustache de Saint-Pierre. –

Dann viele.

Eustache de Saint-Pierre!

JEAN DE VIENNE

Ihr findet nur diesen Namen. Ihr ratet ihn wieder. Er ruft sich an Anfang und Ende. Er lockte gestern – soll er nicht heute mit demselben Willen verführen? Ihr habt recht, er ist der nächste. Er drängte sich gestern zu – er wird jetzt vor den anderen eilen. Er ist der erste vor ihnen – mit seinen schnellen Schritten – mit seiner frohen Kraft. Er wird dies von mir fordern: vor den anderen hinauszugehen und diese Last noch, die mich bedrückt, auf seinen vorgestreckten Armen wie eine dünne Feder tragen. Jetzt ist alle Angst von mir gewichen – jetzt sind Spiel und Ziel eins: – an Eustache de Saint-Pierre sinkt jeder Zweifel nieder!

Aus der Dichte längs der Seiten haben sich die Arme gestreckt – neue Arme heben sich neben: von scheinenden Händen geschieht ein eindringliches Hinweisen nach oben.

Ein schwacher Lichtstrahl trifft die Spitze des Giebelfeldes.

Die Gewählten Bürger blicken hoch.

JEAN DE VIENNE
mit stürmischer Geste.

Die Zeit ist da – wir müssen ihnen die Gewänder rüsten!

Eine Glocke klingt, die in weiten Pausen schrille Schläge tut. Die Arme sinken.
Gewählte Bürger bücken sich zu den Stufen und nehmen vor die Brust dunkle
Bündel auf.

Die Glocke tönt nicht wieder.

JEAN DE VIENNE

– – Nun sind sie aufgebrochen – nun ist ein Gehen in den
Straßen, wie noch keins in ihnen erschütterte! – –

Wieder nach einem Warten.

Wir wollen dem Ersten am Ende seines Weges entgegentreten.
Kennen wir nicht den, den Eustache de Saint-Pierre schreitet?

Er geht nach rechts, ihm folgen einige – auch einer, der ein Bündel trägt. Von links
dringt klappernder Hall eines gemächlichen gleichmäßigen Schreitens; zugleich
läuft von der Tiefe dort ein Flüstern. Auf der rechten Seite zeigen noch zögernd –
dann rasch Arme hinüber – nun schwillt der zischelnde Lärm stärker auf: Der
Erste!

DER FÜNFTE BÜRGER

kommt von links. – Er endigt seinen rüstigen Gang in der Marktmitte. Eine kleine
Weile verharrt er steif – dann dreht er den Kopf weit nach rechts – nach links. Es
ist lautlos still geworden.

DER FÜNFTE BÜRGER

blickt vor sich auf den Boden – und tritt aus seinen Schuhen. Danach richtet er das
Gesicht nach oben – und beginnt mit festen Händen sein Kleid am Halse zu
öffnen. Schultern und Arme sind entblößt – nun hält er es nur auf der Brust
zusammen und wartet.

EIN GEWÄHLTER BÜRGER

tritt von den anderen, rollt das Bündel auf und entnimmt einen wenig langen
Strick. – Er stellt sich dicht hinter den Fünften Bürger, hebt das sackförmige farb-
lose Gewand hoch über ihn und streift es an ihm nieder: es hüllt ihn mit schwerem
Hang ein, verschließt Arme und schleppt um die Füße. – Nun weitert er die
Schlinge – und legt sie auf die Schultern, das lose Seil im Rücken lassend.

DER FÜNFTE BÜRGER

tut einen Schritt beiseite.

DER GEWÄHLTE BÜRGER

bückt sich, rafft die leeren Schuhe und das Kleid auf, geht weg und legt alles auf
die Stufen nieder.

JEAN DE VIENNE

hatte sich bei der Ankunft des Fünften Bürgers schleunig hingewendet. Ihm stellten sich einige Gewählte Bürger entgegen und bedeuteten ihn heftig. Jetzt sie abweisend.

– Ich sehe ihn. Er ist es, der in der Halle zuerst zu Eustache de Saint-Pierre trat. Er schritt seinen Weg eilig. Nun kommt er früher an als der, den wir vor allen erwarten. Eustache de Saint-Pierre geht von seinem Haus gemächlich. Er kennt seine Zeit. Eustache de Saint-Pierre ist der nächste – der zweite auf dem Markte! –

Er kehrt nach recht zurück.

Wieder herrscht tiefe Stille.

Von links der hallende Gang hart wie zuvor.
Dasselbe Zischeln läuft um den Markt: Der Zweite! – und verstummt.

DER DRITTE BÜRGER

erreicht ohne Aufenthalt den Fünften Bürger und stellt sich nach einem flüchtigen Blick neben ihn.

EIN GEWÄHLTER BÜRGER

dient an ihm – und entfernt sich.

JEAN DE VIENNE

auf seinem Platz verharrend, staunend.

Wer ist es?

EIN ANDERER GEWÄHLTER BÜRGER

Der nach den beiden aufstand und aus den Reihen ging!

JEAN DE VIENNE

Nach diesem – und wem?

EIN ANDERER GEWÄHLTER BÜRGER

Nach ihm – und nach Eustache de Saint-Pierre!

JEAN DE VIENNE

Eustache de Saint-Pierre –!–

Seine Verwunderung von sich schüttelnd.

Wer will die Hast oder die Weile eines ausmessen, der zu diesem Gang aufbricht? Einer dringt von seiner Schwelle und stürmt durch die Straße – einer löscht noch das Licht aus und verschließt seine Tür. Die Füße verrichten dies Werk nicht – sie leisten den mindesten Dienst. Wir sind in dem Wettspiel dieser Nacht verwirrt – wir erfahren die schärfste Lehre. Ich war nahe daran, einen Vorwurf zu erheben – jetzt fällt er schwer auf mich. Ich schäme mich ihm entgegenzutreten, wenn er nach diesen kommt. Wir wollen vor Eustache de Saint-Pierre beiseite stehen!

Er geht rasch von rechts weg.
Von rechts dringt ein langsam schlürfender Gang.
Die Köpfe links des Marktes sind vorgereckt.
Rechts schwillt das Raunen: – der Dritte! – und flutet nach links.

JEAN D'AIRE

tritt aus der Gasse rechts, hält inne und übersieht den Markt. Dann nickt er, bricht auf und gelangt zur Mitte. Er blickt die beiden prüfend an – und macht sich daran, sein Kleid von dem fleischarmen Körper zu lösen.

EIN GEWÄHLTER BÜRGER

rüstet ihn mit Gewand und Strick aus und trägt das bunte Kleid und Schuhe weg.

EIN ANDERER GEWÄHLTER BÜRGER
an Jean de Vienne herantretend.

Dieser ist nicht Eustache de Saint-Pierre!

EIN ANDERER GEWÄHLTER BÜRGER
zu anderen.

Eustache de Saint-Pierre ist es noch nicht!

EIN ANDERER GEWÄHLTER BÜRGER
zu Jean de Vienne.

Er stieg von den Brüder Jacques de Wissant und Pierre de Wissant aus den Reihen!

EIN ANDERER GEWÄHLTER BÜRGER
zu Jean de Vienne.

Er ist der Älteste unter ihnen!

sehr lebhaft.

Ist er nicht gebrechlich vor ihnen – vor Eustache de Saint-Pierre?
Schlürfen seine Schritte nicht müde durch die Straße – führte ihn
sein Gang nicht am Hause Eustache de Saint-Pierres vorüber?
Schreitet einer mühselig wie dieser – überholte ihn nicht der
letzte, der gleichen Weg mit ihm geht?

EIN ANDERER GEWÄHLTER BÜRGER
zu anderen.

Eustache de Saint-Pierre ist noch nicht aufgebrochen!

VIELE GEWÄHLTE BÜRGER
untereinander.

Eustache de Saint-Pierre ist noch nicht aufgebrochen!

*Diese Stimmen mischen sich mit dem Murmeln, das von links nach rechts kreist: –
Der Vierte! Der Vierte Bürger kommt an und versammelt sich – rasch über-
zählend – den anderen in der Mitte.*
*Bei dem Geräusche, das die anhaltende Bewegungen unter den Gewählten
Bürgern verursacht, kleidet ihn ein Gewählter Bürger ein.*

EIN GEWÄHLTER BÜRGER
fast lautlos zu Jean de Vienne.

Dieser kam als vierter in der offenen Halle herunter!

JEAN DE VIENNE
stammelnd!

Sind vier versammelt? – Ist Eustache de Saint-Pierre nicht unter
ihnen?

EIN ANDERER GEWÄHLTER BÜRGER

Eustache de Saint-Pierre fehlt noch bei ihnen!

JEAN DE VIENNE

Eustache de Saint-Pierre fehlt noch – –

EIN ANDERER GEWÄHLTER BÜRGER

Zwei fehlen noch an sechs!

dicht vor Jean de Vienne.

Zwei fehlen noch zu sechs!

EIN ANDERER GEWÄHLTER BÜRGER
zuversichtlich.

Einer von ihnen wird Eustache de Saint-Pierre sein!

EIN ANDERER GEWÄHLTER BÜRGER

Eustache de Saint-Pierre will der letzte sein!

EIN ANDERER GEWÄHLTER BÜRGER

Jean de Vienne, er will den Schlüssel von dir nehmen: darum
spart er mit seinen Kräften und will hier nicht lange stehen und
mit den anderen noch warten!

JEAN DE VIENNE
aufgebracht.

Rechnet ihr denn dunkel? Blendet nicht auf euren Augen dieser
fahle Strahl? – Wer ist noch übrig? Denkt aus – denkt aus! Wo
greift ihr dies Irrsal an – wie entwirrt ihr dies Knäuel? Strickt es
sich nicht enger – vergarnt es sich nicht wie ein Filz? Knotet
daran – knotet daran! – – Wer soll nun ankommen? Lockt ihr
Eustache de Saint-Pierre? Stellt er sich zu diesen und ist der
fünfte? – Der fünfte, der den Kreis erschüttert – der fünfte, der
den Ring versprengt – der fünfte, der – – –

Abbrechend, noch erregter.

Brechen Jacques de Wissant und Pierre de Wissant nicht von
demselben Hause auf? Sind sie nicht Brüder? Langen sie nicht
zusammen an? – Stehen nicht sieben hier? Ist der Ausgang nicht
wie der Anfang – ein Anfang ohne Ende? –

Stärker, stärker.

Soll ich alle wieder schicken, um das Spiel zu wiederholen – um
ihren furchtbaren Gang noch einmal zu tun? Sollen wir ihre Leiber foltern – mit dem Wechsel und Wechsel der Kleider? Sollen
wir ihre Sohlen stacheln – jetzt warm – nun bloß? Sollen wir die
Schlinge Mal nach Mal strangen und lockern? – – Treibt nicht die

Frist hin – lauert nicht schon der Henker? Schwillt nicht das Licht – spätet sich nicht der Morgen? Versäumen wir nicht die Rettung? – –

Stockend.

Und zögert Eustache de Saint-Pierre und kommt nach allen an – der siebente! Eustache de Saint-Pierre, der alle anrief – der um alle warb! – der sich vor allen vermaß – kommt nicht. – –

Die Arme über sich werfend.

Denkt nicht aus – denkt nicht aus – ihr zerbrecht daran – an diesem und jenem – verbietet es euch noch – in eurem Blut – in eurem Kopf – –

Andere mit sich nach hinten ziehend.

Wir wollen nicht sinnen – wir wollen nicht suchen – wir sollen nicht lauschen nach einem müden Schritt – und nach einem doppelten – wir müssen stehen und sehen!

Von neuem tritt lautlose Stille ein.
Harter doppeltstarker Gangklang von rechts.
Kein Flüstern und Hinzeigen entsteht.
Jacques de Wissant und Pierre de Wissant einander in enger Umschlingung verbunden kommen an. In der Mitte halten sie ein – zählen. Dann küssen sie sich und stellen sich an die Ecken rechts und links.

ZWEI GEWÄHLTE BÜRGER
dienen an ihnen.
Das Licht trifft auf das Giebelfeld und enthüllt – noch unscharf – eine obere Figurengruppe. Das Bürgervolk ist aus den Gassen nachgedrungen und verschließt sie. Langsam und unaufhaltsam schiebt es sich von den Seiten vorwärts und verengt um die Mitte – flutet die Stufen auf und vereinigt sich.
Ein dunkles Murmeln – befriedigt und bestimmend – tönt davon: – Sechs!

JEAN DE VIENNE
aus maßlosem Erstaunen.

Ist Eustache de Saint-Pierre taub? Mit seinen Ohren vor der schrillen Glocke? Mit seinen Gliedern lahm, die nicht bebten – von harten Schritten vor seiner Tür? Erschütterte sich nicht die Stadt von diesem Gehen in ihren Straßen? Springt nicht unser Blut – dröhnt nicht unser Kopf? Klopft und saust die Luft nicht um uns – halten wir uns nicht mit Mühe aufrecht? Stapft nicht jeder Schritt durch uns hin und reißt uns mit – sechsmal hin und her – sechsmal tausend Schritte auf und ab? – Rennen wir nicht den Wettlauf seit gestern – und rasten nicht – und hetzen die Jagd – mit Fleiß und Schweiß – und kommen an – von den letzten Winkeln – von den Enden die letzten – vor der Zeit – mit der Zeit – jeder früh – jeder in jedem bereit – jeder mit jedem entblößt – alle im Aufbruch – –: Eustache de Saint-Pierre kommt nicht?!

EIN GEWÄHLTER BÜRGER
schreiend.

Eustache de Saint-Pierre kommt nicht!

ANDERE GEWÄHLTE BÜRGER
ebenso.

Eustache de Saint-Pierre kommt nicht!

Der Schrei hallt hin.

Um den Markt wird mit stärkerer Entgegnung lauter – von den Stufen zeigen die Arme zur Mitte –; Sechs! Neue Stille.

EIN GEWÄHLTER BÜRGER
außer sich.

Eustache de Saint-Pierre hat den äußersten Betrug gespielt! –

Überstürzt.

Rief nicht einer von diesen in der Halle – und zielte nach dem übermächtigen Reichtum, um den Eustache de Saint-Pierre sich sorgt! – Wer hat Speicher wie seiner über dem Hafen? Wer seine Güter hoch unter Firsten? Wer seine Frachten in vielen Lastschiffen? – Lästerte der in der Halle – schalt er dreist? – Dieser schmähte schwach – dieser mäßigte sich milde! Was kannte er von List und List, mit der Eustache de Saint-Pierre dem Wurf auswich, der ihn zerschmettert? – Trat er nicht auf und stellte sich hin – zuerst und bereits für Calais? Wußte er nicht – was nützt einer? Sechs sind nötig – und wo sechs sich wagen, da übertreffen viele noch die Zahl! Sieben standen beisammen – einer zuviel! Wie glitt sein Witz aus der Gefahr – wie zog er aus diesem kleinsten Überfluß seinen Vorteil? – Wer vergißt noch die Geschichte des langen Tages gestern? Wie hielt er alle bis an den Nachmittag hin? Und wie versäumte er wieder die Entscheidung, die ihn bestimmen konnte zu sechs? – Täuschte er nicht dreist mit den Kugeln – und log plump mit den Losen? Vermied er die Wahl nicht und schickte alle aus dem Saal – und verwies er sie auf den Morgen – und dieses Morgens Gang, mit dem er sich von ihnen schied – und vor dem Strang bewahrte – mit einem Witz? – – Er verschließt sich in seinem Haus und ist frei! – – Sind wir blind – dumm mit unserem Denken – durchschaute ein Kind nicht den Schwindel und lallt die feile Lösung? – – Jetzt sitzt Eustache de Saint-Pierre hinter seiner festen Tür und biegt die Schultern über den Tisch und verlacht uns – die blöde glaubten und wie schielende Schafe folgten!

Von den Seiten und von den Stufen steigert sich der Lärm und schwillt zu kreischendem Schrei an: – Sechs!

EIN ANDERER GEWÄHLTER BÜRGER

nach rechts vorne laufend.

Stockt euch nicht der Hauch im Halse – füllt euch nicht Blut bis in den Mund – erstickt euch nicht die Scham? – Seid ihr Schwindler, die mit falschem Gelde kaufen – die mit blechernen Münzen klirren und auf dem Handel bestehen? Schüttelt ihr nicht den Betrug von euren Fingern und stampft ihn mit euren Füßen zum Kot? – Wartet ihr hier auf den Aufbruch – fordert ihr die Schändung? – Ist eins und jenes gleich bei euch – gilt der Verrat nichts mehr? – Ekelt euch nicht eure Zunge, die schreit – brennt nicht euer Gaumen, der hallt? – Sättigt ich euch mit der Kost, die ihr stehlt – verschlingt ihr Kraut und Dung wir Würmer am Boden? Seid ihr nicht müde mit eurer Begierde – mit euren Knien von der Hetzjagd in dieser Nacht durch Straßen und Gassen? Werdet ihr jetzt erst lüstern nach einem Spiel? Es ist euch verheißen – es ist vorbereitet auf das letzte –: nun sucht über den Markt – nun späht nach dem aus, der es erfand – ihr entdeckt ihn nicht – bei keinem Licht – bei keinem Dunkel! – Jetzt späht und sucht, wo euer Recht ist, mit dem ihr nach der Erfüllung schreit!

Ringsum hebt es an, ballt sich und löst sich schrill: – Schickt sechs hinaus.

EIN ANDERER GEWÄHLTER BÜRGER

nach vorne laufend.

Ich will nicht Bürger in Calais sein, das aus diesem Betrug aufgebaut ist! – Ich will nicht als Hehler hinter seinen Mauern sitzen – ich will nicht scheu in den Straßen schleichen! Ich will nicht Wucher mit diesem Verrat treiben – ich halte meine Hände hoch

von diesen Malen, die sie zeichnen – ich dulde nicht diesen Makel
auf meinem Leibe! –

Er steht mit starr gereckten Armen da.

EIN ANDERER GEWÄHLTER BÜRGER

zu diesem laufend, seinen Arm umfassend und zur Tiefe aufrufend.

Wer fordert die Schädung der sechs? Wer lädt einem von diesen
den Schlüssel auf? Wer stößt vor ihnen das Tor auf? Wer überliefert sie an diesem Morgen? –

Stark.

Wer steht unter uns hier, der teil an diesem Betruge hat?

*Bei den Gewählten Bürgern entsteht eine unruhige Bewegung:
Einige sind auf dem Weg nach vorn – andere zögern hinten.
Drohend und stärker von den Seiten: – Schickt sechs hinaus!*

EIN ANDERER GEWÄHLTER BÜRGER

laut.

Calais fällt nicht –!!–

In die verminderte Unruhe, eilig.

Wir sind nicht heute am Ende unserer Kräfte – nicht morgen! –
Wir leiden keinen Hunger – es mangelt uns nichts! – Unsere Leiber tragen keine Wunden – wir bluten kräftig in unseren Adern –
unsere Schultern sind fest – unsere Hände greifen hart um Lanzen – Schwert! Wir stehen hinter den Mauern – wir füllen die
Straßen – die Fahnen Frankreichs flammt über der Stadt – der
Hauptmann von Frankreich lenkt uns – – vor dem Hauptmann
von Frankreich – –

Er stockt. Tiefe Stille.

EIN ANDERER GEWÄHLTER BÜRGER

ausbrechend.

Duguesclins ist aus der Stadt!!

EIN ANDERER GEWÄHLTER BÜRGER

Eustache de Saint-Pierre hat den Hauptmann aus der Stadt
geschickt!

EIN ANDERER GEWÄHLTER BÜRGER
Eustache de Saint-Pierre hat uns alle verraten!

EIN ANDERER GEWÄHLTER BÜRGER
Eustache de Saint-Pierre verbietet die Rettung der Stadt!

EIN ANDERER GEWÄHLTER BÜRGER
Eustache de Saint-Pierre hat von allem Anfang an den Verrat gesucht!!

Um den Markt erhebt sich von neuem das Geschrei: Schickt sechs hinaus!!

EIN GEWÄHLTER BÜRGER
die Arme über sich schwingend.

Wir holen Eustache de Saint-Pierre aus seinem Hause!

EIN ANDERER GEWÄHLTER BÜRGER
Wir zerren Eustache de Saint-Pierre von seinem Tisch!

EIN ANDERER GEWÄHLTER BÜRGER
Wir stoßen Eustache de Saint-Pierre vor uns auf den Markt!

Eine erste Gruppe der Gewählten Bürger stürmt nach rechts hin und wird von der dichten Menge aufgehalten.

EIN GEWÄHLTER BÜRGER
nach vorne.

Eustache de Saint-Pierre voll allein büßen!

EIN ANDERER GEWÄHLTER BÜRGER
Wir binden Eustache de Saint-Pierre den Schlüssel auf den Rücken!

EIN ANDERER GEWÄHLTER BÜRGER
Eustache de Saint-Pierre soll den Schlüssel auf seinen Knien hinausschleppen!

Ein neuer Trupp drängt nach rechts hinten.

EIN GEWÄHLTER BÜRGER
vorne.

Eustache de Saint-Pierre soll auf dem offenen Markte geschändet werden!

EIN ANDERER GEWÄHLTER BÜRGER

Wir richten vor diesen Eustache de Saint-Pierre!

EIN ANDERER GEWÄHLTER BÜRGER

aufreizend.

Sucht Eustache de Saint-Pierre!

VIELE GEWÄHLTE BÜRGER

Sucht Eustache de Saint-Pierre!

Rechts hinten dauert der Widerstand: jetzt gibt die Menge dem wuchtigen Sturme nach, die Gewählten Bürger dringen in die Gasse. Der Ruf schallt scharf: Eustache de Saint-Pierre!!

JEAN DE VIENNE

steht allein – müde, erschüttert.

Von den Seiten drängt das Bürgervolk nach ihm – johlend: Schicke sechs hinaus!! In der Gasse bricht der Lärm ab – langsam flutet die Schar der Gewählten Bürger zurück – einander betroffen Zeichen gebend.
Um den Markt legt sich der Aufruhr – die Vorgedrungenen weichen auf die Seiten.

JEAN DE VIENNE

tritt hastig fragend zu den Gewählten Bürgern.

Diese bedeuten ihn gegen die Tiefe der Gasse: sie stehen stumm wartend – mit dem Bürgervolk der rechten Seite die Gasse fast bis in die Mitte des Marktes verlängernd. Hall langsamsten Schreitens nähert sich: die beiden erdgebundenen Krüppel tragen eine Bahre, schwarz überhängt. In kleinem Abstand folgt der Vater Eustache de Saint-Pierres – hagerer überalter Greis, kahlhäuptig; ein dünner Bart zittert um das Gesicht, das er aufwärts richtet nach Blinder Art – ganz das Gefühl in das Tasten der Hände versammelt. Ein schlanker Knabe führt ihn um die Hüfte.

Die Krüppel stellen in der Mitte die Bahre auf den Boden. Die Gewählten Bürger umdrängen dicht die Sechs.

DER VATER DES EUSTACHE DE SAINT-PIERRE

aus seinem unaufhörlich geheim redenden Munde Worte formend.

Ich bin ein Becher – der überfließt – –

Von dem Knaben vor die Sechs geleitet.

Stehen sie beisammen? –

Er streift des ersten Gewand und Seil.

Grobes Gewand und glatter Strick – einer! –

Vor dem nächsten ebenso.

Rauh und gerüstet – du! –

Weiter.

Du verschlossen in grober Haft –!–

Fortschreitend.

Du wie diese vorbereitet –!–

Zu den beiden übrigen.

Mehr – mehr – bei dir – der letzte! –

Kopfnickend.

Sechs, sagte er, sind übrig – sie warten auf dem Markt – die Stunde ihres Aufbruchs ist da – schaffe mich zu ihnen auf den Markt. Sie müssen sich eilen – wenn sie mir folgen wollen – ich bin vorausgegangen! –

Er wendet sich um, sucht das Tuch über der Bahre und streift es zur Seite.

Mein Sohn! –

Die Gewählten Bürger beugen sich über; von einigen hervorgestoßen: Eustache de Saint-Pierre!

DER VATER EUSTACHE DE SAINT-PIERRES
ohne dessen zu achten.

Mein Mund ist gefüllt – es fließt von ihm aus – – Meine Rede ist geschwunden – verdrängt von der Ausgießung dieser Nacht. Ich bin die Schelle, von einem Klöppel geschlagen. Ich bin der Baum, ein anderer das Sausen. Ich liege hingestreckt – der hier liegt, steht auf meinen Schultern und über euren Schultern übereinander! –

An die Sechs gekehrt.

Trifft euch die Stimme aus solcher Höhe – rieselt ihr heißer Druck an euren Leibern – bloß in die Kutten? Raffen sich eure haftenden Sohlen vom steinigen Boden und fliehen durch die Öse eurer Schlingen aufwärts? – Fühlt ihr noch Pein – und Dorn und Spitze einer Folter? – Er bog sie stumpf – er heilt die Verletzung in eurem Fleisch vor dem Stich!

Die Sechs stehen allein nahe der Bahre.

DER VATER EUSTACHE DE SAINT-PIERRES

Ihr steht nahe bei ihm – er ist entrückt – und dicht wie keiner unter euch. Ihr seid, wo er rastet – euch winkt er mit lockendem Finger. Ist es nicht leicht zu gehen, wohin einer aufruft? Blühen nicht die Ufer von einer Verheißung? Er jauchzt sie aus – er zieht den letzten von euch in den Kahn. Sechs Ruder schaufeln – gerade furcht die Bahn: – das Ziel lenkt genauer als das Steuer. Nun wartet er auf euch – ihr kommt später an! – Er ist euch vorausgeschritten – wer dreht das Gesicht noch zurück? Wem schaut ihr nach – wer geht von euch – und nimmt die Helle mit sich – und überläßt die andern dem Dunkel? Wer streift das Licht von eurer Tat – und macht sie finster um euch? – Ihr tut sie verhüllt und dumpf! – – – Hielt er euch nicht wach vor dieser Tat, um würdig zu sein? Scheuchte er nicht den Schlaf von euren Lidern mit Mühe und Mühe? Erfand er nicht Mittel und Mittel, mit dem er euch dicht und dicht schob? Hielt er euch nicht bis diesen Morgen hin? Ließ er euch einmal dem trägen Schlummer verfallen? Entzog er euch die kleinste Frist? Wachte er nicht über euch? Steht ihr jetzt nicht reif hier und seht mit klaren Augen euere Tat an? – – –

Er atmet tief.

Nun stieß er das letzte Tor vor euch auf. Nun hat er den Schatten von Grauen gelichtet, ihr wallt hindurch – stutzig mit keinem Schritt – tastend mit keinem Fuß. Mit einer Flamme brennt um euch eure Tat. Kein Rausch verdüstert – keine Glut schwelt. Ihr dringt vor – hell umleuchtet und kühl bestrahlt. Fieber hetzt euch nicht, Frost lähmt euch nicht. Ihr schüttelt frei eure Glieder in euren Gewändern. Der Abschied trennt euch nicht: – wer scheidet sich von euch? Ist eure Zahl nicht rund und vollkommen eine Kugel, die ein Anfang ist und ein Ende ohne Unterscheidung? Wer ist der erste – wer der siebente – wo peinigt Ungeduld – wo stachelt Ungewißheit? – – Er schmolz sie zur runden Glätte – jetzt seid ihr eins und eng ohne Mal und Marke! – –

Einen Arm hoch gegen sie erhebend.

Sucht eure Tat – die Tat sucht euch: ihr seid berufen – Das Tor ist offen – nun rollt die Woge eurer Tat hinaus. Trägt sie euch – tragt ihr sie? Wer schreit mit seinem Namen – wer rafft den Ruhm an sich? Wer ist Täter dieser neuen Tat? Häuft ihr das Lob auf euch – wühlt diese Begierde in euch? – – Die neue Tat kennt euch nicht! – Die rollende Woge eurer Tat verschüttet euch. Wer seid ihr noch? Wo gleitet ihr mit euren Armen – Händen? – – Die Welle hebt sich auf – von euch gestützt – auf euch gewölbt. Wer wirft sich über sie hinaus – und zerstört das glatte Rund? Wer verwüstet das Werk? Wer schleudert sich höher und wütet am Ganzen? Wer scheidet Glied von Glied und stört in die Vollendung? Wer erschüttert das Werk, das auf allen liegt? Ist euer Finger mehr als die Hand, euer Schenkel mehr als der Leib? – Der Leib sucht den Dienst aller Glieder – eines Leibes Hände schaffen euer Werk. Durch euch rollt euer Werk – ihr seid Straße und Wanderer auf der Straße. Eins und keins – im größten die kleinsten – im kleinsten die wichtigsten. Teil mit eurer Schwäche an jedem – stark und mächtig im Schwung der Vereinigung! –

Seine Worte hallen über den Markt hin. Seherisch belebt.

Schreitet hinaus – in das Licht – aus dieser Nacht. Die hohe Helle ist angebrochen – das Dunkel ist verstreut. Von allen Tiefen schließt das siebenmal silberne Leuchten – der ungeheure Tag der Tage ist draußen! – –

Eine Hand über die Bahre streckend.

Er kündigte von ihm – und pries von ihm – und harrte mit frohem Übermute der Glocke, die zu einem Fest schwang – – dann hob er den Becher mit seinen sicheren Händen vom Tisch und trank an ruhigen Lippen den Saft, der ihn verbrannte.

Er zieht den Knaben dichter zu sich.

Ich komme aus dieser Nacht – und gehe in keine Nacht mehr. Meine Augen sind offen – ich schließe sie nicht mehr. Meine blinden Augen sind gut, um es nicht mehr zu verlieren: – ich habe den neuen Menschen gesehen – in dieser Nacht ist er geboren! – – Was ist es noch schwer – hinzugehen? Braust nicht schon neben mir der stoßende Strom der Ankommenden? Wogt nicht Gewühl, das wirkt – bei mir – über mich hinaus – wo ist ein Ende? Ins schaffende Gleiten bin ich gesetzt – lebe ich – schreite ich von heute und morgen – unermüdlich in allen – unvergänglich in allen – – –

Er wendet sich um, der Knabe führt ihn behutsam nach rechts, die Schritte hallen
lange in der Gasse.
Zwei Gewählte Bürger treten zu Jean de Vienne, der sich vor den anderen der
Bahre genähert hatte. Einer legt ihm die Hand auf die Schulter; der andere zeigt
hin, wie das wachsende Licht nun fast die ganze Kirchentür erhellt.

JEAN DE VIENNE

sieht fragend nach ihnen auf – dann rafft er sich auf, weist auf Eustache de Saint-
Pierres Leiche.

Einer schritt vor euch hinaus – fällt es schwer auf einen von euch
ihm zu folgen? –

Stärker.

Schwankt einer von euch – wenn ich die Last des Schlüssels auf
seine Hände lege?

Die Sechs strecken die Arme nach ihm aus.

JEAN DE VIENNE

dem Nächsten den Schlüssel übergebend.

Wer von euch ist der erste – der letzte? Wer unterscheidet zwischen euch? Eines Leibes Hände greifen – tragen! – Der Morgen
ist hell – nun schicken wir sechs hinaus – der siebente liegt hier:
– wir stehen bei diesem aus eurer Schar – wie unter euch an
eurem Ziel! – vor diesem geduldig und still! –

Er streift das Tuch ganz von der Bahre.

In der lautlosen Still um den Markt brechen die Sechs auf – leise klatschen die
nackten Sohlen auf den Steinen.

Die Gasse links hat sich vor ihnen weit geöffnet; aus ihr nähern sich schnell
klirrende Schritte.

DER ENGLISCHE OFFIZIER

prunkend gerüstet, von einem Soldaten gefolgt – tritt den Sechs entgegen und hebt
seinen Arm auf.

Jean de Vienne – der König von England schickt an diesem Morgen!

JEAN DE VIENNE

ihm zurufend.

Die Frist ist nicht versäumt: mit dem frühen Morgen sollen sechs
aus den Gewählten Bürgern von der Stadt aufbrechen und sich

im Sande vor Calais überliefern. Wir stehen am frühen Morgen hier!

DER ENGLISCHE OFFIZIER

zu den Sechs.

Verzögert den Aufbruch! –

Zu Jean de Vienne tretend.

Der König von England schickt an diesem Morgen diese Botschaft in die Stadt Calais: – in dieser Nacht ist dem König von England im Lager vor Calais ein Sohn geboren. Der König von England will an diesem Morgen um des neuen Lebens willen kein Leben vernichten. Calais und sein Hafen sind ohne Buße von der Zerstörung gerettet!

Tiefes Schweigen herrscht.

DER ENGLISCHE OFFIZIER

Der König von England will an diesem Morgen in einer Kirche danken. Jean de Vienne – öffne die Türen – die Glocken sollen läuten vor dem König von England!

Aus der Gasse links dringt ein Strom englischer Soldaten – prächtig gepanzert, an den Lanzen Fahnenstreifen; sie bilden rasch eine Gasse, die über den Markt die Stufen auf nach der Kirchentür mündet.

JEAN DE VIENNE

richtet sich auf. Sein Blick schweift nach den Sechs, die inmitten der Gasse sich ihm genähert haben.

Hebt diesen auf und stellt ihn innen auf die höchste Stufe nieder: – der König von England soll – wenn er vor dem Altar betet – vor seinem Überwinder knien!

Die Sechs heben die Bahre auf und tragen Eustache de Saint-Pierre auf ihren steil gestreckten Armen – hoch über den Lanzen – über die Stufen in die weite Pforte, aus der Tuben dröhnen. Glocken rauschen ohne Pause aus der Luft.
Das Bürgervolk steht stumm.
Aus der Nähe scharfe Trompeten.

DER ENGLISCHE OFFIZIER

Der König von England!

stehen abwartend.
Das Licht flutet auf dem Giebelfeld über der Tür: in seinem unteren Teil stellt sich eine Niederlegung dar; der schmale Körper des Gerichteten liegt schlaff auf den Tüchern – sechs stehen gebeugt an seinem Lager. – Der obere Teil zeigt die Erhebung des Getöteten: er steht frei und beschwerdelos in der Luft – die Köpfe von sechs sind mit erstaunter Drehung nach ihm gewendet.

«Die Bürger von Calais»
von
Auguste Rodin

KOMMENTAR

ZUR DRAMATURGIE GEORG KAISERS (DOKUMENTE ZUR DRAMENTHEORIE[1])

Formung von Drama (1922)

An allem Anfang war Energie. Sie wird sich auch ins unendliche Ende durchsetzen.

Träger von Energie ist Mensch. Von ihr aufgewühlt, durchwühlt er sich selbst. Die sonderbarste Verquickung besteht hier: Effekt macht Substanz mobil – und die Bewegtheit rollt aus sich selbst. Andere Deutungen – Zuspruch von außen, Inspiration von jenseits – sind abgetan, wie schon vorher tausend Stadien überschritten.

Darstellung von Energie ist dem Menschen aufgegeben – mit dem natürlichen Gebot seiner Vitalität. Die befiehlt allein und einzig. So gelingt endlich die Sichtung von Zweck des Seins, der von düstern Mutmaßungen noch mannigfach umschwärmt und geschwärzt. Zweck ist Energie – von Ursprung bis in die Vollendung. Energie um der Energie willen – da fällt Tun und Sein des Tuns ineins; die Ergebnisse sind nebensächlich.

Suche nach äußerster Darstellung von Energie ist Weg des Menschen. Aufgerichtet und umgeworfen schon zahllose Möglichkeiten. Alles ist Durchgang zur mächtigeren Darstellung. Nicht um des Knalleffektes – um der Darstellung willen. Mit Ziel – mit Zweck des Endes sänke der Mensch zusammen zur affigen Ungeburt. Er lebt, pocht Atem um der Auferstehung willen. Die ist immer das Heute – das Nun – die pralle Sekunde.

Herrlich Mensch, der in Sackgassen irrt.

Großartig der unermüdliche Verbrauch von Mensch. Prunkend seine unerschöpfliche Wiederkehr – die Zwang ist aus der Vitalität, die sich in Energie ballt und entladet – entladet und ballt, gelöst von Ziel, da Sein schon Zweck ohne Rest ist.

Was ist Drama? Eine Möglichkeit zu Stauung und Auswurf von Energie. Vielleicht jetzt die kräftigste Möglichkeit.

Was ist Dramadichter? Bestimmt heute die kräftigste Art Mensch. Der heute vollendbarste Typus Mensch. Formung von Drama stellt den unerhörtesten Vorgang von Ballung und Energie dar. Gegenwärtig ganz unvergleichlich.

Dramadichter – der verdichtendste Träger von Energie, die zur Entladung drängt. (Nicht in seinen Zwischenzuständen ist er als Dichter

---

[1] Die Jahresangabe in der Klammer hinter dem Titel bezieht sich auf den Erstdruck.

anzusprechen und die Geste der Ermüdung zwischen den Stücken bleibt zu übersehen. Die Interpunktion gibt nicht den Satz. Der Dichter ist nicht lebensfremd. Wie er ist, erklären die Orientierungen vorher.) Hart ist Energie – nicht in Daunen von Sentiment gekringelt. Solcher Zustand gehört bereits der Vergangenheit an. Anemonen sind lustig – aber den Weltturm baue ich lieber. Stets stürzt der Babelbau wieder über seine Fundamente – ist der Turm Zweck? – Das Bauen ist es. Die Bemühungen um eine Ästhetik von Sprech-, Ton-, Baukunst werden erfolgreicher. Zu Scherz vertirilierten die bisherigen. Der Schöpfer schafft des Schaffens wegen – nicht um der Schöpfung willen. Mit seinem Tod ist er ganz tot – die überholte Nachwelt kramt in Exkrementen. Kein Werk gilt – der Schöpfer gilt um seiner selbst willen sich. Nicht nach andern lugt sein Blick. (Ich kolportiere nicht von Mitmachern; Zeilenlaichern.)
✳ Wie ist die Wirkung von Drama? Es sollte *Furcht* und *Mitleid* erregen. Man ventilierte diese These ernsthaft. Schopenhauer und Nietzsche (von dem nur das Sprachwerk – nicht sein Denkwerk bleibt) dünnten den breiigen Nebel nicht. Wirkung schießt nur auf aus Wundern von Darstellung von Energie. Der *Held* tut eine Leistung von Energie (und vergeht selbstverständlich mit seinem Rekord) – das überwältigt, das demoliert den Zuschauer. Diese Sichtbarmachung vom Zweck des Seins, der ist: Energie sichtbar zu machen. Vollkommen erfüllt diesen Vorsatz das Drama. Der schöpferische Mensch – kann zusehen und zuhören und im Gleichnis des *Helden* den Dichter – und sich selbst am stärksten erleben. Das Vorbild: sich zu gebrauchen – wird unverwickelt gegeben. Man geht aus dem Theater – und weiß mehr von der Möglichkeit des Menschen – von Energie.

Sei es zusammengezogen in eine Formel, die sich rasch einstellt: nicht darauf kommt es an, dass der Mensch was kann (Leistung nach Ziel und endliches Erreichen eines Himmels oder einer Paradieslandschaft) – sondern daß er gekonnt ist. Der gekonnte Mensch ist die Forderung.

Der gekonnte Mensch!

Bericht vom Drama (1925/26)

Die Idee ist ihre Form. Jeder Gedanke drängt nach der Prägnanz seines Ausdrucks. Die letzte Form der Darstellung von Denken ist seine Überleitung in die Figur. Das Drama entsteht.

Platon schreibt sein reines Ideenwerk als Dialoge nieder. Personen sagen und treten auf. Heftigere Dramen als Symposion und Phaidon sind schwer zu finden. Für den Dramatiker ist hier deutlichster Hinweis gegeben: Gestalt und Wort propagieren allein überzeugend den Gedanken.

Unerschöpflich ist Denken. Dieses Gebiet hat unerschlossene Provinzen, die sich ins Endlose fortsetzen. Die Aufgabe des Menschen ist hier großartig.

Das geschriebene Drama wird immer neuer Aufbruch in anderes Drama – in Gestaltung vordringender Denkenergie. Wie steht der Dramatiker zum vollendeten Werk? Er verlässt es mit dem letzten Wort, das er schrieb – und unterzieht sich mit Zwang und Entschluss der Formung von neuem Drama, zu dem er wie über Stufen einer unendlichen Treppe vorwärts drängt. Diesem Zwang unabweisbar gehorchen zu müssen, ist Begabung. Begabung ist Gehorsam – Unterordnung – Demut, die werktätig sich darbietet. Stillstand bei einem Drama – Rückblick mit Genugtuung – Rast am Wege: sind Ungehorsam im Geiste, der mit tödlichem Fluch belädt. Sich zeitlich einstellen – das Dauerndunendliche mit dem Popanz seiner Person verbauen – sich selbst als ein erreichtes Ziel setzen: sind Kennzeichen und Makel von Misswuchs. Ins pausenlose Gleiten von Werden geschickt – eine Welle des Stroms kurz festhalten: ist alles, was menschlich erreichbar ist. Diese Feststellung einer Sekunde im All leistet der Dramatiker. Mehr nicht, alles darin.

Georg Kaiser

GEORG KAISER · LEBEN UND WERK

«Wer mit entfalteter Fahne vorangeht, lässt manchen hinter sich. Aber der Rest schart sich dichter um einen.»

(Georg Kaiser, «Der Geist der Antike»)

Dieses Wort Georg Kaisers aus einer kleinen Erstlingskomödie nimmt das eigene unverdiente Schicksal vorweg, das über Leben und Werk des Dichters waltet. Umjubelt, missverstanden, umworben und verachtet, war Georg Kaiser vor 1933 neben Gerhart Hauptmann der meistgespielte Autor des deutschen Theaters; aber schon damals fand sich bei allem äußeren Erfolg nur eine kleine Schar von Verstehenden bereit, ihm in allem zu folgen; denn allzu weitschichtig ist dieses Werk in seiner Gesamtheit, zu unerbittlich die Forderung dieses bedeutenden expressionistischen Dramatikers, zu eigenwillig die sprachliche Verdichtung und – zu unbekannt das persönliche Schicksal des Dichters, das in bewusster Trennung von Leben und Werk gleichwohl völlig belanglos bleibt.

Die wenigen Daten, die über das Leben des Dichters bekannt sind,

Quelle: hier nach G.K., *Stücke, Erzählungen, Aufsätze, Gedichte.* Hrsg. von Walther Huder; Köln–Berlin (Kiepenheuer & Witsch) 1966 – a): S. 684–686 b): S. 697–698

enthüllen kaum das Geheimnis des Menschen Georg Kaiser. Auf Drängen der Freunde hatte er selbst einmal sein privates Geschick in eine knappe «Biographische Notiz» zusammengefasst[1]. Demnach entstammte er einer alten protestantischen Pfarrersfamilie. Sein Vater – Friedrich Kaiser – war allerdings Kaufmann in Magdeburg. Ihm wurde Georg am 25. November 1878 als fünfter von sechs Söhnen geboren. Georg Kaiser besuchte das Gymnasium Unserer Lieben Frauen in seiner Vaterstadt, um aber bald in den Beruf des Vaters überzutreten.

Nach drei Lehrjahren übersiedelte er im Auftrag der AEG nach Buenos Aires «zum großen Start für das Abenteuer der Welt». Es brachte ihm eine Malaria ein, die ihn acht Jahre lang, an Körper und Seele nahezu gelähmt, ans Krankenlager fesselte. Während dieser Zeit erfuhr der über Spanien und Italien nach Deutschland Zurückgekehrte immer eindringlicher «die höhere Form der Gesundheit, das ist die im Geiste». Der Fünfundzwanzigjährige schrieb sein erstes Werk, eine «Tragödie von Krankheit und Verlangen: ‹Rektor Kleist›». Allmählich erfolgte Genesung. 1908 heiratete er und machte sich im dörfischen Seeheim an der Bergstraße ansässig. Von 1911 an arbeitete er nacheinander in Weimar, München und Tutzing. Aber noch lange wusste die Öffentlichkeit nichts von dem Dichter Kaiser; denn erst 1915 erschien «Der Fall des Schülers Vehgesack» als erstes einer langen Reihe von Dramen auf der Bühne.

Wachsende Erfolge vermochten aber nicht, den Künstler aus seiner selbstgewählten Vereinsamung zu locken. Da lenkte nach dem Kriege plötzlich ein Sensationsprozess die Aufmerksamkeit der Weltöffentlichkeit auf seine Person. Er, der kein Gefühl für die ihn umgebende Realität der Welt besaß, hatte, um ein neues Werk drucken zu können, einige Teppiche aus dem gemieteten Hause, das er bewohnte, verpfändet. Das Gerichtsverfahren hätte kaum Aufsehen erregt, wenn dies nicht die Art seiner Verteidigung bewirkt hätte. Was der Dichter vorbrachte, war nicht eine Rechtfertigung seiner Person, sondern des schöpferischen Menschen schlechthin; als Dichter nimmt er das Ausnahmerecht des Genies für sich in Anspruch; denn «der produktive Mensch muss leisten

[1] Georg Kaiser: Biographische Notiz. Das literarische Echo, XX, 6, 1917, S. 320.

bis zum äußersten ...» Er wird verurteilt. Im Gefängnis wiederholt er das Bekenntnis zu seinem Werk: «Noli me tangere.» Es ist das einzige Drama geblieben, in dem eigenes Erleben Gestalt wurde.

Zwischen 1920 und 1930 stand der Dramatiker Kaiser auf dem Höhepunkt des Erfolgs. Viele Dramen wurden an mehreren Theatern zugleich aufgeführt. Das eben noch feindliche Ausland stand nicht zurück. Amerika bot verlockende Filmverträge. Was die Einsichtigen schätzten, war das hohe Ethos seiner Vision; was das Publikum lockte, die unerhörte Beherrschung seiner Bühnentechnik. Er selbst kümmerte sich kaum darum, was mit seinen Stücken geschah. Selten wohnte er einer Aufführung bei; denn er scheute die Genugtuung, die ihn nach einer erfolgreichen Aufführung befallen könnte: «Die darf einem schöpferischen Menschen niemals vor sich selber werden ... Er hat zu viele Aufgaben vor sich; denn das Gebiet des Geistigen ist so unerschöpflich, dass es von keiner Generation der Menschheit abgeschritten wird. Der Dichter muss vor diesen geistigen Aufgaben so vollständig mit seiner eigenen Ruhe kapitulieren, dass er vom fertigen Werk aufbricht und mit dem neuen, sofort zu beginnenden Werk in eine neue Provinz des Denkens verstößt. Das ist eine sehr harte Aufgabe und ein sehr unbequemer Beruf»[1]. Niemals hat sich Kaiser diesem Beruf entzogen. In die Stille seines Hauses in der Mark Brandenburg zurückgezogen, lebte er nur seinem Werk, obwohl ihm die Bühnen in der Zeit des Dritten Reiches verschlossen blieben. 1938 verließ er Deutschland und emigrierte über Holland in die Schweiz. Aber auch im Exil legte er die Feder nicht aus der Hand. Als er am 4. Juni 1945 in Ascona als mittelloser Flüchtling starb, hinterließ er über sechzig Dramen, zwei Romane und einen Band Gedichte.

Die literarhistorische Kritik hat Kaiser einen «Denkspieler» genannt (Diebold). Sie wollte damit ausdrücken, dass des Dichters Probleme, Gestalten, Verwicklungen und Entwirrungen vorwiegend dem konstruierenden Intellekt entsprungen seien und als «Denkspiele» der Erlebnisgrundlage ihres Schöpfers entbehrten. Der Dichter selbst unterstützte eine derartige Beurteilung, wenn er in seinem «Bericht vom Drama» schrieb: «Das geschriebene Drama wird immer Aufbruch in ein anderes Drama – in Gestaltung vordringender Denkenergie.» In Wahrheit aber ist Kaiser mehr als nur ein Denkspieler; er ist einer der wahrhaft Erregten und darum inbrünstig Suchenden seiner Generation, einer, der sich der Nöte seiner Epoche am eigenen Leibe täglich schmerzlich bewusst wurde und aus dem Verlangen nach einer neuen, besseren Welt, nach einer neuen Gesellschaft, unerbittlich den «neuen Menschen» forderte, die ethische Verkündigung des expressionistischen Dichters: «Der einzige Vorwurf von Dichtung: der ist die Erneuerung des Menschen

---

[1] aus einem Gespräch zwischen dem Dichter und Hermann Kasack 1928. «Der Monat» IV, 41, 1952, S. 527.

... Die Tragödie bestimmt Aufstieg des Menschen in Bezirke des Vollkommeneren – das Lustspiel belächelt sein Verharren auf bequemer Ebene.»

Aus diesem Gesichtswinkel betrachtet, entwirrt sich die Vielgestaltigkeit der Kaiserschen Dramatik und ordnet sich von selbst einem gestaltenden Grundprinzip ein: Seine Menschen sind entweder Menschen im Kaiserschen Sinne, «Erneuerte», oder Vegetierer im gestaltlosen Einerlei des Daseins. Seine Helden – außer in den frühen Dramen – leiden nicht unter der Disharmonie zwischen Ideal und Wirklichkeit, wie im klassischen Drama, sie verkörpern entweder die Idee des Ideals oder diejenige der Realität. Der Konflikt entsteht daher nicht im Individuum selbst, sondern durch den Zusammenstoß des «neuen Menschen» mit den Mächten der alten Gesellschaft. Diese einzige Feststellung umschreibt die Vision, um die des Dichters Geist unermüdlich kreist: Er gestaltet sie in Dramen, die im wahrsten Sinne des Wortes Ideendramen sind, wie diejenigen Calderons, Schillers, Kleists oder Shaws.

Die dramatischen Erstlinge Georg Kaisers greifen mit ihrer Kritik der bürgerlichen Lebensform zunächst die gleichen Tendenzen auf, wie sie damals auch von Sternheim und – früher schon – von Wedekind und Strindberg vertreten wurden. Ihr Leitmotiv ist der Widerspruch zwischen Geist und Körper. In seinen Helden verteidigt der Dichter hier die «Tat» gegen den «Geist», der «vom Leben abzieht mit seinem Flug zum Tode – zur Ewigkeit», wie der Rektor Kleist in der gleichnamigen Tragikomödie feststellt. Am deutlichsten – in der Verbindung von Tiefsinn und Ironie – zeigt sich das Problem in der Komödie «Der Geist der Antike». Es ist die Geschichte von dem Archäologieprofessor, dem, während er in Griechenland dem «Geist der Antike» nachforscht, die Mäuse das Frühstücksbrot verzehren, und der dadurch belehrt wird, dass er am Leben vorbeiforscht. Er will nun immer nur noch dem Leben dienen und erfindet – eine Mäusefalle!

Neben diesen und anderen, mehr dem Erlernen des Technischen als der Idee verpflichteten Werken entstehen die ersten «Erneuerungsdramen». Geschichte, Bürgertum, soziales Milieu und schließlich die Mythologie sind die Stoffbereiche, aus denen der Dichter schöpft. Aber er benützt seine Quellen nur als Vorwand, um seine Idee darzustellen. Die in der äußeren Kausalität befangene Wirklichkeitsschilderung des ausgehenden 19. Jahrhunderts überspringt er daher, um wieder bei der Forderung des klassischen Dramas, der freien Idee, anzuknüpfen. Auf dem Wege dahin begegnen ihm die klassischen Helden des neueren Dramas: Judith und Jeanne d'Arc, aber auch Tristan und Isolde und der greise König Marke. Nach dem Judith-Drama «Die jüdische Witwe», das den im 19. Jahrhundert mehrfach behandelten Stoff in ein neues Licht rückte, gelang dem Dichter bereits 1913 sein vielleicht tiefstes Werk: «Die Bürger von Calais», dessen Uraufführung 1917 eine neue Epoche des deutschen Dramas, die expressionistische, einleitete. Es galt nun, die Idee, die hier in den Mittelpunkt gestellt worden war, die Erneuerung des Menschen, in die soziologisch so vielschichtigen Formen des modernen Lebens einzufügen; denn was sie in der historischen Legende durch die zeitliche Entfernung an Wahrscheinlichkeit gewinnt, scheint sie durch die Illusionslosigkeit der Gegenwart wieder zu verlieren. Aber in ruheloser Besessenheit formte der Dichter, der nach den frühen Versuchen den Umfang seiner Kräfte abzuschätzen gelernt hatte, Stoff um Stoff um seine Idee. Unbeirrt um Erfolg oder Misserfolg und unberührt von der begeisterten Aufnahme, welche sein erstes großes Drama gefunden hatte, prüfte er ihre Tragfähigkeit in der modernen Gesellschaft an kaum zu begreifender Fülle der dramatischen Einfälle. Zwei Wege werden sichtbar: Der eine führt zur Befreiung, zu sich selbst, wenn der Gewandelte sich den Lockungen der Welt verschließt; der andere zur revolutionären Tat, wenn ihn das gewonnene Verantwortungsbewusstsein zum Dienst an der Gemeinschaft drängt. In wechselseitiger Beleuchtung erscheint so der Dualismus Welt – Mensch.

In einer Dramenreihe, die mit «Von morgens bis mitternachts» beginnt, und über «Nebeneinander» und «Kanzlist Krehler» zu «Zweimal Oliver» führt, wird die kleinbürgerliche Enge einer Welt sichtbar, in der vergrämte kleine Beamte und verhärmte Frauen dumpf dahinvegetieren. «Aufbruch aus beengter Daseinsform» könnte man diese Stücke überschreiben; der geringste Anstoß genügt, um dem schlummernden Bedürfnis nach Grenzenlosigkeit und Unabhängigkeit nachzugehen. «… so kann es einen überfallen – mitten im Alltag – man weiß nicht wozu: zur Sünde oder zur Erleuchtung!» wie der Pfandleiher in dem Volksstück «Nebeneinander» ausruft. Ihn schien das Schicksal zur Rettung eines Menschen bestimmt zu haben. Aber indem er diesem Anruf blindlings gehorcht, verstrickt er sich mehr und mehr in den Maschen des bürgerlichen Gesetzes, das ihn schließlich zu Fall bringt. Er, der retten wollte, hat sich selbst gerettet – aus der unwürdigen Enge ohne Lebenssinn und -zweck. Es ist der unsichtbare Gewinn «des wunderbarsten Gefühls: für einen fremden Menschen sich auf den Weg gemacht zu haben!»

Das ist der eine Weg, der Passionsweg, der entweder mühsam, Station um Station, oder rauschhaft in wild-elementarem Ausbruch zur Befreiung, zur Besinnung und Einkehr führt. Der andere weist vom Einzelmenschen zur Gesellschaft. Kaiser beschritt ihn in den großen sozialen Dramen, die mitten in die «Raserei des Lebens» reich … jeder gegen jeden schonungslos!» wie es in der «Koralle» heißt. Im Mittelpunkt steht die gewaltige «Gas»-Tragödie: «Die Koralle», «Gas», «Gas II. Teil». In keines der Kaiserschen Dramen ist so viel expressionistisches Gedankengut hineingedrängt wie in diese Trilogie. «Die Koralle» wandelt das Erneuerungsthema im Sinne des expressionistischen «Vater-Sohn-Konfliktes» ab: Der Sohn eines Milliardärs steht als Gewandelter seinem im alten Geiste befangenen Vater gegenüber. Der Milliardär kann den Sohn nicht begreifen, der plötzlich den Mitmenschen in sich entdeckt und sich auf einem Kohlenfrachter anheuert. In «Gas» nimmt der Milliardärssohn die Sozialisierung des väterlichen Betriebes in Angriff. Es gibt keinen Chef und keine Lohnlisten; die Arbeiter sind am Gewinn prozentual beteiligt. So weit scheint alles in Ordnung. Aber die Technik ist über menschliches Vermögen hinausgewachsen: Das Gas folgt nicht mehr der chemischen Formel! Explosion ist die Folge. Der Milliardärssohn zeigt den letzten Ausweg aus der immer von neuem drohenden Vernichtung; er bietet den Arbeitern gesunde Lebensbedingungen in einer grünen Siedlung. Aber die dumpfe Masse der zur Geld und Gas produzierenden Maschine gewordenen Arbeiter verlangt immer nur das eine: Gas! Der Dichter stößt hier an die Grenzen der expressionistischen Erneuerungsethik: «... die tiefste Wahrheit findet immer nur ein einzelner. Dann ist sie so ungeheuer, dass sie ohnmächtig zu jeder Wirkung wird!» In «Gas II. Teil», in dem die Arbeiter nur mehr als «Gelbfiguren» und «Blaufiguren» agieren, um schließlich Giftgas zu erzeugen, muss der Milliardärarbeiter – Urenkel jenes Milliardärs in der «Koralle» – erkennen: «– – Nicht von dieser Welt ist das Reich!!!» Dem neuen Menschen ist es nicht gelungen, den Mitmenschen aus der Verkümmerung seines Sklavendaseins zu befreien. Indem er sich der mit Giftgas gefüllten Glasphiole bemächtigt und sie zertrümmert, vernichtet er sich und die ganze Menschheit.

Noch einmal beschwor Kaiser die Welt eines utopischen Sozialismus in «Gats», ehe er sich in einer weiteren Dramengruppe wieder dem Einzelschicksal zuwandte, das außerhalb des Anspruchs auf Allgemeingültigkeit seine Bahn sucht und vollendet. «Das Frauenopfer» ist der bezeichnende Vorgänger dieser Reihe. Das tragende Motiv ist die Liebe zwischen Mann und Frau in ihrer makellosen Reinheit, die den Mann durch ihr Erlebnis zu einem höheren Dasein emporzusteigern vermag. So erkennt der Herr von*** in «Der Brand im Opernhaus» vor dem Waisenmädchen die Fragwürdigkeit seiner bisherigen Existenz: «Im Spiegel ihres Antlitzes – von Reinheit offen – grinste mir mein verzerrtes Gesicht entgegen ... Ich tauchte auf zu reinerer Geburt ... Ich wurde reich – und begriff nicht mehr, wie ich meine frühere Armut ertragen konnte.» «Gilles und Jeanne» ist das wichtigste Drama dieser Gruppe, weil das Läuterungsmotiv hier am tiefsten ausgelotet wird. Es ist zugleich Kaisers Beitrag zur Gestaltung des Jeanne-d'Arc-Stoffes. Aber die Jungfrau von Orleans ist hier nicht die von Gott zur Befreiung Frankreichs Berufene; sie ist die Verkörperung der Reinheit, welche die Werbungen des Wüstlings Gilles de Rais ausschlägt, um ihn, den Triebhaften, aus seiner sinnlichen Umklammerung zu lösen und ihn zum ethischen Menschen zu läutern.

Das Spätwerk Kaisers, zum größten Teil in der Emigration entstanden, trägt das Zeichen der Ablehnung und Enttäuschung über die politische Entwicklung in der Heimat an sich. Es ist eine einzige Anklage wider die zerstörenden Gewalten in Europa, was sich hier in satirischen Komödien oder in den beiden Dramen «Das Floß der Medusa» und «Der Soldat Tanaka» äußert. In der Gestalt des japanischen Soldaten Tanaka, der plötzlich den Absturz der Menschheit in die Barbarei erkennt und den Kaiser vor versammelter Armee zur Rechenschaft auffordert, rechnet der Dichter mit den politischen Machthabern in Deutschland ab. Die letzten Dramen, in denen die Sprache zum Vers verdichtet ist, möchte man als Ausdruck der tiefen Resignation des Dichters werten, der am Ende seines Lebens – der Zweite Weltkrieg schien es ihm zu beweisen – an der Durchführbarkeit seiner Erneuerungsidee im Bereiche des Menschlichen überhaupt zweifeln musste. «Pygmalion» ist sein Tasso; das letzte, «Bellerophon», eine endgültige Verklärung des reinen Menschen in der Gestalt des Lieblings Apolls, den der Gott am Ende seines Lebens in einen Stern verwandelt.

Kurz vor seinem Tode enthüllte der Dramatiker Kaiser in mehr als hundert Gedichten, die er geradezu aus sich herausschleuderte, die Qual seines inneren Lebens. Es sind Offenbarungen eines Menschen, der sich in Briefen an vertraute Freunde zuletzt als Prometheus sah, an das Gebirge des Lebens geschmiedet, den gefräßigen Adler an der Brust, der aber gleichwohl in den «Bürgern von Calais» demütig bekannt hatte:

«... Ich bin die Schelle, von einem Klöppel geschlagen. Ich bin der Baum, ein anderer das Sausen ... Ich komme aus dieser Nacht – und gehe in keine Nacht mehr ...: ich habe den neuen Menschen gesehen ...!»

DIE BÜRGER VON CALAIS
ALS DRAMATISCHE DICHTUNG

I. Der Stoff und die Problemstellung

Den Stoff zu seinem Schauspiel entlehnte Kaiser der Geschichte des Hundertjährigen Krieges (1339–1453)[1]. Wahrscheinlich empfing er die entscheidende Anregung durch das zur Erinnerung an die Belagerung von Calais dort vor dem alten Rathaus aufgestellte Denkmal des französischen Bildhauers Auguste Rodin (1840–1918): «Die Bürger von Calais» (entstanden 1884–86)[2]. Wohl in dem Bemühen, den historischen Sachverhalt zu ergründen, stieß der Dichter auf die auch von Rodin benützte Chronik des picardischen Dichters Froissart (geb. um 1337, gest. nach 1404), der als Zeitgenosse das Ringen zwischen Eduard III. und Philipp VI. von Valois dargestellt hatte[3]. In dieser Chronik schildert er, wie der englische König nach seinem Siege bei Crecy (1346) gegen Calais marschierte und die stark befestigte Stadt zu belagern begann (August 1346), um einen leicht zugänglichen Hafen in Frankreich zu gewinnen. Die Bürger von Calais waren sich wohl bewusst, welche Gefahren die Einnahme der Stadt für Frankreich bedeuten würde, und verteidigten sich darum heldenmütig; ein volles Jahr lang hielten sie den Belagerern stand. Als aber ihre Lebensmittelvorräte erschöpft waren, bot der Gouverneur der Stadt, Jehans de Viane[4], im Namen der Bürger dem englischen König die Übergabe von Stadt und Festung an, *wenn sie nur ihr Leben daraus retten könnten.* Auf die Fürsprache der englischen Barone hin willigte Eduard ein und ließ Jehans de Viane durch den Ritter Gautiers de Mauni seine Bedingungen übermitteln: «*... Wenn sechs der angesehnsten Bürger die Stadt verlassen, nackt,*

---

[1] Nach dem Aussterben der Kapetinger 1328 folgte die Seitenlinie der Valois mit Philipp VI. (1328–1350). Aber auch Eduard III. von England (1327–1377) erhob als Neffe des letzten Kapetingers Anspruch auf den französischen Thron, obwohl nach salischem Recht weibliche Erben ausgeschlossen waren. Der Erbfolgekrieg zog sich über ein Jahrhundert hin. Erst 1453 erlag ein englisches Heer östlich von Bordeaux; damit endete der Krieg ohne Friedensschluss.

[2] Die Gruppe befindet sich an dieser Stelle seit 1924; fast zu ebener Erde, wie Rodin dies gewünscht hatte. Die Gestalten sind zwei Meter hoch. Wiederholungen des Denkmals befinden sich u. a. in den Gärten um das Parlament in London, im Garten des Musée Rodin in Paris, vor der Glyptothek in Kopenhagen und in der Öffentlichen Kunstsammlung zu Basel.

[3] Kervyn de Lettenhove, Œuvres de Froissart, Bruxelles 1868; Bd. V, (in Bezug auf das Drama:) S. 198–216. Die im Folgenden abgedruckte Textseite ist in gekürzter Übersetzung wiedergegeben; die wörtlich übersetzten Teile sind durch *Kursive* gekennzeichnet. Die Übertragung des picardischen Originaltextes verdanke ich Herrn Oberstudiendirektor a. D. Adolf Panzer in Landshut.

[4] in der Schreibung des Froissart wie die folgenden Namen.

nur mit dem Hemd bekleidet und barhäuptig, den Strick um den Hals, die Schlüssel der Stadt und der Festung in der Hand, so werde ich mit ihnen nach meinem Willen verfahren und die Bewohner in Gnaden aufnehmen.» Als Jehans de Viane diese harten Bedingungen vernommen hatte, eilte er auf den Marktplatz und ließ die Glocken läuten, um die Leute aller Stände in der Markthalle zu versammeln. *Sodann unterrichtete er die versammelten Männer und Frauen über den Befehl des englischen Königs und erklärte ihnen, dass es keinen anderen Ausweg gäbe. Als sie diesen Bericht hörten, begannen sie alle so bitterlich zu klagen und zu weinen, dass es auf der Welt kein so hartes Herz geben kann, das nicht Mitleid empfunden hätte, wenn es sah und hörte, wie sie sich benahmen. Und sie hatten nicht die Kraft zu sprechen und zu antworten. Sogar Herr Jehans de Viane hatte solches Mitleid mit ihnen, dass er gerührt in Tränen ausbrach. Eine Weile darnach erhob sich der reichste Bürger der Stadt, den man Herrn Ustasse de Saint-Pierre nannte, und sprach: «Herr, es wäre ein großer Jammer und Verlust, ein solches Volk wie dieses hier an Hunger oder sonstwie sterben zu lassen, wenn es noch einen Ausweg gibt; und so wäre es eine große Liebestat, wenn einer sie von diesem Übel bewahren könnte. Ich für meine Person mache mir große Hoffnung, Gnade und Verzeihung vor Unserm Herrn zu erlangen, wenn ich den Tod auf mich nehme, um dieses Volk zu retten, dass ich der erste sein will und ich werde mich gerne ausziehen bis aufs Hemd und mich barfuß und mit unbedecktem Haupt, den Strick um den Hals dem König von England auf Gnade und Ungnade ergeben.» Als Herr Ustasse de Saint-Pierre diese Worte gesprochen hatte, warfen sich ihm die Männer und Frauen zu Füßen und weinten vor Rührung; es war ein großer Jammer, dort zu sein und sie zu sehen und zu hören. An zweiter Stelle erhob sich ein anderer sehr ehrenwerter Bürger von großem Besitz, der zwei hübsche Töchter hatte, und sagte ebenfalls, dass er seinem Gevatter, Herrn Ustasse de Saint-Pierre, Gefolgschaft leisten werde; und man nannte diesen Jehans d'Aire. Hierauf erhob sich der dritte, der sich Jakèmes de Wissant nannte, ein Mann, reich an beweglicher Habe und ererbten Gütern, und sagte, er würde seinen beiden Vettern folgen. Das gleiche tat Herr Pierres de Wissant, dessen Bruder; und hierauf der fünfte und sechste[1]. Und es entkleideten sich dort in der Markthalle von Calais diese sechs Bürger bis auf Hemd und Lendentuch, legten einen Strick um den Hals und nahmen die Schlüssel der Stadt und Festung; jeder der sechs hatte davon eine Handvoll.* Dann setzte sich Herr Jehans de Viane in ihre Spitze und schlug den Weg zum Tore ein. Weinen und Klagen

---

[1] Kaiser scheint nur die zweite Fassung von Froissarts Chronik gekannt zu haben, wie aus dem Vorspruch zum Drama hervorgeht, in dem der Dichter nur von vier historisch belegten Namen spricht. Die vierte, ebenfalls bei de Lettenhove abgedruckte Redaktion Froissarts nennt aber die Namen aller sechs Bürger. Demnach hießen die beiden letzten: Jehans de Fiennes und Andrieus d'Andre.

begleitete sie. Jehans de Viane ließ das Tor öffnen und übergab dem dort wartenden Ritter de Mauni die sechs, indem er ihn bat, ihr Fürsprecher beim König sein zu wollen, *dass sie nicht dem Tode überliefert werden.* Hierauf kehrte er allein in die Stadt zurück. Herr de Mauni aber brachte die sechs ohne Zwischenfall in die königliche Herberge. Dort weilte der König inmitten seiner Grafen, Barone und Ritter und in Gesellschaft seiner Gemahlin, die schwanger war. Der König *verhielt sich ganz ruhig und schaute jene sehr zornig an ... denn sein Herz war verhärtet und von so großem Groll ergriffen, dass er nicht sprechen konnte; und als er sprach, befahl er, dass man ihnen sogleich die Köpfe abschlagen solle.* Vergeblich baten ihn die Herren des Gefolges und Herr Gautiers de Mauni, den sechs Barmherzigkeit zu erzeigen. *«Die von Calais haben so viele meiner Leute zu Tode gebracht, dass es recht und billig ist, dass auch sie sterben» ... Da demütigte sich die Königin, ergriffen von Mitleid, und warf sich ihrem Gatten zu Füßen und sagte: «Ach, edler Herr, seitdem ich unter großen Gefahren das Meer überquerte, habe ich, wie Ihr wisst, nichts von Euch begehrt und kein Geschenk verlangt. Jetzt bitte ich Euch demütig und erflehe als persönliches Geschenk, dass Ihr, um des Sohnes der Jungfrau Maria willen und aus Liebe zu mir, diesen sechs Männern Gnade erweisen wollet!» Der König wartete ein wenig, ehe er antwortete, und betrachtete die gute Herrin, seine Gemahlin, die, sehr schwanger, auf den Knien vor ihm so rührend weinte. Da wurde sein Herz weich: «Ach, Madame», sagte er, «es wär mir viel lieber, Ihr wäret nicht hier ... Ihr bittet mich so dringlich, dass ich es Euch nicht abzuschlagen wage. Wie sehr ich auch wider meinen Willen handle: hier, ich schenke sie Euch, tut mit ihnen, was Euch beliebt!»! ... Nachdem die Königin gedankt und sich erhoben hatte, ließ sie den sechs Bürgern die Stricke abnehmen, führte sie in ihre Gemächer, ließ sie ankleiden, bewirtete sie und schenkte einem jeden von ihnen 6 Nobel* (alte Münze); *dann entließ sie sie mit freiem Geleit aus dem* (englischen) *Heerbann.*

Soweit der Bericht des Chronisten.

Rodin hatte, als er 1884 den Auftrag zu den «Bürgern von Calais» erhielt, für sein Werk den fruchtbarsten Augenblick gewählt: da die sechs ihren Opfergang antraten. Rainer Maria Rilke, der eine Zeit lang Sekretär des berühmten Bildhauers gewesen ist, feierte den Meister und sein Werk mit den Worten[1]: «Er bildete sie nackt, jeden für sich, in der ganzen Gesprächigkeit ihrer fröstelnden Leiber. Überlebensgroß: in der natürlichen Größe ihres Entschlusses.

Er schuf den alten Mann mit den hängenden Armen, die in den Gelenken gelockert sind; und er gab ihm den schweren, schleppenden Schritt, den abgenützten Gang der Greise, und einen Ausdruck von Müdigkeit, der über sein Gesicht fließt bis in den Bart.

[1] Rilke, R. M.: Auguste Rodin, Leipzig 1913, S. 61 f.

Er schuf den Mann, welcher den Schlüssel trägt. In ihm ist Leben noch für viele Jahre und alles in die plötzliche letzte Stunde gedrängt. Er erträgt es kaum. Seine Lippen sind zusammengepresst, seine Hände beißen in den Schlüssel. Er hat Feuer an seine Kraft gelegt, und sie verbrennt in ihm in seinem Trotze.

Er schuf den Mann, der den gesenkten Kopf mit beiden Händen hält, wie um sich zu sammeln, um noch einige Augenblicke allein zu sein.

Er schuf die beiden Brüder, von denen der eine noch zurückschaut, während der andere mit einer Bewegung der Entschlossenheit und Ergebung das Haupt neigt, als hielte er's schon dem Henker hin.

Und er schuf die vage Gebärde jenes Mannes, der ‹durch das Leben› geht ... Er geht schon, aber er wendet sich noch einmal zurück, nicht zu der Stadt, nicht zu den Weinenden und nicht zu denen, die mit ihm gehen. Er wendet sich zurück, zu sich selbst. Sein rechter Arm hebt sich, biegt sich, schwankt; seine Hand tut sich auf in der Luft und lässt etwas los, etwa so, wie man einem Vogel die Freiheit gibt. Es ist ein Abschied von allem Ungewissen, von einem Glück, das noch nicht war, von einem Leid, das nun umsonst warten wird, von Menschen, die irgendwo leben und denen man vielleicht einmal begegnet wäre, von allen Möglichkeiten aus morgen und übermorgen, und auch von jenem Tod, den man sich fern dachte, milde und still, und am Ende einer langen, langen Zeit ... Und so hat Rodin jedem dieser Männer ein Leben gegeben in dieses Lebens letzter Gebärde.»

So hatte Rodin dem Dichter in der Hauptsache bereits die entscheidenden Charakterzüge seiner Gestalten geliefert, wie Froissarts Schilderung alle historischen Einzelheiten zur dramatischen Handlung bot. Beides hätte genügt, um ein historisches Schauspiel von zugleich hoher ethischer Sinngebung zu gestalten. Aber Kaiser war es nicht um ein historisches Spiel zu tun, sondern allein um die Sichtbarmachung seiner Idee; er nimmt die Geschichte nur zum Vorwand, um seiner Vision zu dienen. «Er ordnet ... er konstruiert das Gesetz. Er filtert den Sud. Er entschuldigt den Menschen. Er leistet Dichtung», wie er sich selbst als Dichter der Geschichte gegenüber in dem Aufsatz «Historientreue» rechtfertigt. So verändert er den historischen Bericht durch eine Anzahl frei erfundener Motive. An der heftigen Auseinandersetzung um Annahme oder Ablehnung des zugleich großmütigen und herausfordernden königlichen Angebots entzündet sich Kaisers Dialektik. In der Auffassung des Ehrbegriffes scheidet sich der «neue», in die Zukunft blickende Mensch, der durch selbstloses Opfer das gemeinsame Werk schützt, von dem Vertreter eines alten, primitiv-soldatischen Ehrbegriffes vom Heldentum des Schwertes und der Gewalt. In Duguesclins und Eustache de Saint-Pierre stehen die Vertreter des neuen und des alten Menschentums einander gegenüber. Die Konsequenzen, die der Hauptmann nach der Entscheidung der Bürgerschaft für sich zieht, lassen keinen Zweifel zu, ob diese Entscheidung richtig gewesen ist oder nicht.

Das Ideal des Bürgers und das der Kriegers lassen sich nicht miteinander vereinen. An das Motiv des überzähligen siebenten Bürgers aber knüpft sich der eigentliche Sinn des Dramas: Eustache de Saint-Pierre merkt wohl die heimliche Hoffnung im Herzen eines jeden: dem Leben wiedergegeben zu werden. Um diese Hoffnung sieht er den Wert des Opfers verringert; denn für ihn ist nur die Tat des über alles Zaudern erhabenen freien Entschlusses von sittlichem Wert, die ruhmlose Tat, die aus Pflichtgefühl und in Demut für das Wohl der Gemeinschaft geschieht. Darum verlangt er noch zweimal die Entscheidung, um die sechs über den Mutwillen des Schicksals und über die eigene Unzulänglichkeit zu erheben. So sind es zwei Probleme, die Kaiser hier im Sinne der expressionistischen Erneuerungsethik lösen will: das Problem der Ehre und das der Tat. Indem er das Pflichtbewusstsein des Bürgers über den Ruhm der Waffen stellt, entscheidet er sich für ein passives Heldentum, das seine Krönung durch die selbstlose Tat erfährt. In der Gestalt des Eustache de Saint-Pierre gelang Kaiser die reinste Verkörperung des «neuen Menschen», der kraft seines eigenen Opfers seine Mitmenschen zu läutern vermag. Wie diese Läuterung sich vollzieht, will das Spiel veranschaulichen.

Es fällt schwer, zu glauben – wie Bernhard Diebold berichtet – dass der Dichter sein Manuskript jahrelang vergeblich den Bühnen anbot. «Ideendramatik galt als antiquiert. Das Theater wurde (in Anspielung auf das neuromantische Theater. Anm. d. H.) spielerischer Selbstzweck: ein bewunderungswürdiger Apparat für Augen und Ohren; nicht für Geister und Seelen, die erst durch die Kriegsverzweiflung wieder hungrig und durstig wurden ...[1]» So kamen «Die Bürger von Calais» erst am 29. Januar 1917 am Frankfurter Neuen Theater unter der Direktion Hellmers zur Uraufführung. ...

II. Das Drama als Stilproblem

Das expressionistische Drama ist in allem das Gegenteil zum naturalistischen. Dieses entwickelt das dichterische Problem durch genaue Beobachtung der äußeren Zustände, jenes schafft S y m b o l e , um die Vision des Dichters zu verdeutlichen; denn der Expressionist will kein Abbild der Natur gestalten, sondern das eigene Ich in tausendfacher Verwandlung, das Wesenhafte, die Idee. Für die Darstellung solcher Stoffinhalte reichen die naturalistischen Gestaltungsmittel nicht mehr aus; der Künstler befreit sich daher aus den Fesseln der Natur und sucht nach neuen, stärkeren Ausdrucksmitteln. Wie der expressionistische Maler unter Verzicht auf Einzelheiten und naturalistische «Richtigkeit» mit den Mitteln der formalen und farbigen Abstraktion und durch Über-

[1] Diebold, Bernhard: Der Denkspieler Georg Kaiser, S. 37.

treibung den Symbolwert des Gegenstandes betont und ein Sinnbild der Dinge gibt, sie darstellt, wie sie sind, nicht wie sie scheinen (vgl. z. B. Franz Marcs «Turm der blauen Pferde», «Tierschicksale» u. a.), will der Dichter von den Zufälligkeiten des Einzelschicksals hinwegführen auf die höhere Ebene des Allgemeinerlebnisses, der Idee. Darum ist das expressionistische Drama immer Ideendrama; darum sind die Handelnden dieses Dramas keine Individuen, sondern Typen, durch welche der Dichter die Allgemeingültigkeit seiner Gestalten beweisen will. Um diese Forderung nach Typisierung zu erfüllen, steigert der Expressionist die Charaktere seiner Gestalten über jedes Wirklichkeitsmaß hinaus, indem er alle für den inneren Ausdruck entscheidenden Züge übertreibt, während er zugleich alle individuellen Merkmale unterdrückt. Wenn Kaiser in dem vorliegenden Werk auf vollständige Typisierung verzichtet, so geschieht dies in Wahrheit doch nur scheinbar und mit Rücksicht – wie er im Vorspruch betont – auf die historisch überlieferten Namen; aus der Einmaligkeit ihres historischen Kostüms erheben sie sich dennoch zur Zeitlosigkeit und Allgemeingültigkeit.

Die Abkehr von der naturalistischen Zustandsschilderung zeigt sich aber auch in der Gedankenführung, in Sprache und Bühnentechnik. Was besonders auffällt, ist die dialektische Form des Dialogs. Sie ist vor allem an den Dialogen Platons geschult, auf die sich Kaiser in dem Aufsatz «Das Drama Platons» beruft: «Das Drama Platons legt Zeugnis ab. Es ist über allen Dramen. Rede stachelt Widerrede – neue Funde reizt jeder Satz – ... Die Steigerung ist von maßlosem Schwung – und auf den Schlüssen bläht sich geformter Geist wie die Hände Gottes über seiner Weltschöpfung.» In genau abgewogener Rede und Gegenrede spannt sich Thesis und Antithesis zwischen sparsamer Handlung, die durch diese dialektische Gedankenführung zielstrebig in die gewünschte Richtung gelenkt wird. Das besondere Kennzeichen dieses Stils ist daher Dynamik. Kaiser erreicht sie vor allem durch die Frage. Ganze Szenen des Dramas bauen sich nur aus Fragen auf, die den Dialog immer wieder aufwühlen und höchste Spannung ermöglichen: «Seht hin: – schufen wir unser Werk mit Lachen und Singen? Stiegen wir nicht durch Dienst Schritt um Schritt zu ihm auf?» usw. (S. 16).

Dichtung, die so hoch in der Idee wurzelt wie die expressionistische, bedarf aber auch eines besonderen Sprachstils, um die notwendige Einheit von Inhalt und Form zu erreichen. Die Sprache, deren sich Kaiser bedient, bezeugt einen hervorragenden Wortkünstler: die strenge Bewusstheit in der Wortwahl, die zu feierlichem Pathos gesteigerte Sprachmelodie, die oft kühne Regellosigkeit des Satzbaus verkünden bis in die betont eigenwillige Interpunktion die Idee des Dramatikers. Durch die häufig angewandte Technik der Wortwiederholung wird der Widerhall des Gedankens zum Dröhnen verstärkt, wie es im Drama «Gas» sehr bezeichnend heißt: «Ins taubste Ohr dringt der Druck der Verkündigung, die sechsfach gesprochen ist.» Namentlich die Wiederholung des Einleitewortes unterstreicht die Unbedingtheit der Aussage und unterstützt den Bewegungsrhythmus: «Sechs Gewählte Bürger sollen den Schlüssel vor die Stadt tragen – sechs Gewählte Bürger sollen aus dem Tor schreiten –» usw. (S. 21). Die Sprache Nietzsches («Also sprach Zarathustra») hat dem Dichter hier als Vorbild gedient. Auch die Abwandlung eines Hauptwortes durch Synonyma schafft Steigerung und Zuspitzung des Gedankens: «Schreitet hinaus – in das Licht – aus dieser Nacht. Die hohe Helle ist angebrochen – Das Dunkel ist verstreut. Von allen Tiefen schießt das siebenmal silberne Leuchten – der ungeheure Tag der Tage ist draußen!» (S. 72). Steigerung des Ausdrucks erreicht der Dichter endlich durch Symmetrie der Sätze:

Der vierte Bürger: «Schicke die Schüssel um den Tisch!»
Der fünfte Bürger: «Eustache de Saint-Pierre – schicke die Schüssel um den Tisch!»
Jacques de Wissant, Pierre de Wissant und der dritte Bürger: «Schicke die Schüssel um den Tisch!» (S. 45).

Selbst die Bühnenanweisung darf hier nicht als bloße Regieanleitung aufgefasst werden, sondern ist sprachlich als Teil der Dichtung zu verstehen. ... Das Bühnenbild schafft mehr einen imaginären Raum. Das Gebärdenspiel ist von größter Sparsamkeit; das Interesse des Zuschauers soll sich mehr auf die dramatische Handlung und auf das gesprochene Wort konzentrieren. Jede Eigenmächtigkeit oder Zufälligkeit in der Gebärde ist dem Schauspieler untersagt. Diese knappe Art der Pantomime unterstreicht aber auch den würdig-gelassenen Rhythmus des Dramas und verleiht ihm den Charakter eines Weihespiels.

Der Aufbau des Dramas ist kunstvolle Architektur. Auf den ersten Blick scheint es, als habe sich der Dichter der Tradition unterworfen und nur an Stelle der üblichen fünf Akte des klassischen Dramas sich mit dreien begnügt; aber gerade diese Verkürzung beweist ein sicheres Gefühl für die Erfordernisse des Ideendramas; denn wie schleppend hätte sich die dreimal variierte Handlung durch fünf volle Aufzüge hingezogen! Die genauere Prüfung ergibt eine höchst sinnvolle Komposition, die das Prinzip der Dreimaligkeit aus dem Gesamtaufbau bis in die Szenenfolge der einzelnen Akte, ja sogar bis in das Satzgefüge hinein verfolgen lässt. Das Schema der klassischen Höhepunkt-Pyramide ist nicht angewandt; die drei Akte sind Variationen eines Themas: Stationen der Erneuerung, deren Erreichung den Höhepunkt darstellt, welcher daher naturgemäß an den Schluss drückt[1]. Eine gewisse Symmetrie ist dadurch gegeben, dass der zweite Akt ein kleines Drama für sich darstellt, wo die kurzen Auftritte der Abschiednehmenden eine dramatische Bilderfolge von wohlberechneter Wirkung ergeben.

[1] August Strindberg hat in seinem Traumspiel «Nach Damaskus» (1898/1901) diese Stationentechnik zuerst entwickelt, die auch Hofmannsthal in seinem «Jedermann» vor Kaiser anwandte.

Die strenge Bewusstheit, mit welcher Kaiser seine Sprache formt, seine Art, einen Inhalt als Szenen in Denksymbolen aufzubauen und diese Szenen in strenger Geometrie zum Drama zu gestalten, hat dem Dichter die Bezeichnung eines «Mechanikers seiner Dichtung» eingetragen. Wer jedoch bedenkt, dass der Dichter sein Werk doch nur aus der Zeit empfängt, in der er lebt – auch wenn es sich um die Bürger von Calais handelt – wird Kaisers erstem Interpreten recht geben müssen: «dass die gewollte Mechanik in des Dichters Dramen nichts anderes als das unerbittlichste Symbol unserer ... Epoche darstellt: die Zeit der Maschine! Die Zeit ohne Herzschlag! Kaiser sieht die Menschen in einem maschinellen Schicksal.» Mit seiner Kunst ist er «der gegenwärtigste, der traditionsloseste, der direkteste Künstlertypus seiner Zeit»[1].

[1] Diebold, Bernhard: Der Denkspieler Georg Kaiser, S. 21

DRAMEN

(Die wichtigsten Entstehungszeiten geordnet; ohne die zwischen 1896 und 1901 entstandenen frühesten Dramen und ohne die Fragmente, Skizzen und Pläne.

1902   Der Fall des Schülers Vehgesack. Szenen einer kleinen deutschen Tragödie. (1915 erste öffentliche Aufführung eines Kaiserschen Dramas.) Weimar 1941. Privatdruck

1905   Der Geist der Antike. Komödie in 4 Akten. Potsdam 1923
        Rektor Kleist. Tragikomödie in 4 Akten. Weimar 1914. Privatdruck

1905/6 David und Goliath (auch «Großbürger Möller»). Lustspiel in 4 Akten. Weimar 1914
        Der Präsident. Komödie in 3 Akten. Berlin 1914
        Konstantin Strobel. Lustspiel in 5 Aufzügen. Berlin 1916

1908   Die jüdische Witwe. Biblische Komödie. Berlin 1911
        Sorina. Komödie in 3 Akten. Berlin 1917

1910   Die Versuchung. Eine Tragödie unter jungen Leuten aus dem Ende des vorigen Jahrhunderts in 5 Akten. Berlin 1917
        Der mutige Seefahrer. Komödie in 4 Akten. Potsdam 1926 (als Bühnenmanuskript)
        König Hahnrei. Tragödie. Berlin 1913

1912   Von morgens bis mitternachts. Stück in zwei Teilen. Potsdam 1916

1913   **Die Bürger von Calais.** Bühnenspiel in 3 Akten. Berlin 1914

1916   Das Frauenopfer. Schauspiel in 3 Akten. Berlin 1918

1917   Die Koralle. Schauspiel in 5 Akten. Berlin 1917

1917/18 Der gerettete Alkibiades. Stück in drei Teilen. Potsdam 1920

1918   Der Brand im Opernhaus. Ein Nachtstück in drei Aufzügen. Berlin 1919
        Gas. Schauspiel in 5 Akten. Berlin 1918

1919   Hölle Weg Erde. Stück in drei Teilen. Potsdam 1919
        Gas II. Teil. Schauspiel in 3 Akten. Potsdam 1920

1921   Kanzlist Krehler. Tragikomödie in 3 Akten. Potsdam 1922
        Noli me tangere. Stück in zwei Teilen. Potsdam 1922

1922	Die Flucht nach Venedig. Schauspiel in 4 Akten. Berlin 1923
	Gilles und Jeanne. Bühnenstück in drei Teilen. Potsdam 1923
1923	Nebeneinander. Volksstück in 5 Akten. Potsdam 1923
1924	Kolportage. Komödie in einem Vorspiel und 3 Akten nach 20 Jahren. Berlin 1924
1925	Gats. Drei Akte. Potsdam 1925
1926	Zweimal Oliver. Stück in drei Teilen. Berlin 1926
	Papiermühle. Lustspiel in 3 Akten. Potsdam 1927
1927	Der Zar läßt sich photographieren. Einakter (Opera buffa, nur als Oper aufgeführt mit der Musik von Kurt Weill.) Wien–Leipzig 1927
	Oktobertag. Schauspiel in 3 Akten. Potsdam 1928
1928	Die Lederköpfe. Schauspiel in 3 Akten. Potsdam 1928
1929	Hellseherei. Gesellschaftsspiel in 3 Akten. Potsdam–Berlin 1929
	Zwei Krawatten. Revuestück in 9 Bildern, Berlin 1929
	Mississippi. Schauspiel in 3 Akten. Berlin 1930
1932	Der Silbersee. Ein Wintermärchen in 3 Akten. Berlin 1933
1934	Das Los des Ossian Balvesen. Komödie in 5 Akten. Berlin 1947 (nur als Bühnenmanuskript)
1935	Adrienne Ambrossat. Schauspiel in 3 Akten. Berlin 1948 (nur als Bühnenmanuskript)
	Agnete. Schauspiel in 3 Akten. Berlin 1948 (nur als Bühnenmanuskript)
1936	Rosamunde Floris. Schauspiel in 3 Akten. Zürich–New York 1940
1937	Der Gärtner von Toulouse. Schauspiel in 5 Akten. Amsterdam 1938
	Napoleon in New Orleans. Tragikomödie in sieben Bildern. Berlin 1948 (nur als Bühnenmanuskript)
	Vincent verkauft ein Bild. Neun Szenen. Berlin 1954 (nur als Bühnenmanuskript)
1938	Alain und Elise. Schauspiel in 3 Akten. Zürich–New York 1940
	Pferdewechsel. Schauspiel in 3 Akten. Berlin 1954 (nur als Bühnenmanuskript)
	Der Schuß in die Öffentlichkeit. Vier Akte. Amsterdam 1939

1940   Der Soldat Tanaka. Schauspiel in 3 Akten. Zürich–New York 1940

Klawitter. Komödie in 5 Akten. Berlin 1948 (nur als Bühnenmanuskript)

Der englische Sender. Vier Akte. Berlin 1948 (nur als Bühnenmanuskript)

1940/43 Das Floß der Medusa. Ein Akt = sieben Tage, Vorspiel und Nachspiel. Berlin 1948 (nur als Bühnenmanuskript)

1942   Die Spieldose. Schauspiel in 5 Akten. Berlin 1948 (nur als Bühnenmanuskript)

1943   Zweimal Amphitryon. Fünf Akte. Zürich 1948

Pygmalion. In 5 Akten. Zürich 1948

Bellerophon. In 5 Akten. Zürich 1948

(Diese drei Dramen in der Ausgabe: «Griechische Dramen».)

Der Flüchtling. Schauspiel in 3 Akten. Basel 1945 (nur als Bühnenmanuskript)

ROMANE

1931   Es ist genug. Berlin 1932
1939   Villa Aurea. Engl. Ausgabe 1939; Amsterdam 1940

GEDICHTE UND AUFSÄTZE

(ohne die in Zeitungen und Zeitschriften veröffentlichten Erwiderungen, Einleitungen und sonstigen kleineren Aufsätzen)

Das Drama Platons. «Das Programm», Nr. 14. München 1917
Biographische Notiz. «Das literarische Echo», XX, 6, 1917, S. 320
Vision und Figur. «Das junge Deutschland», I, 10
Historientreue. «Berliner Tageblatt», 4. IX. 1923
Dichtung und Energie. «Berliner Tageblatt», 25. XII. 1923
Der Mensch im Tunnel. «Das Kunstblatt», VIII., 1924
Die Sinnlichkeit des Gedankens. «Almanach Europa», 1924
Bericht vom Drama. «Der Zuschauer», I, 2, Berlin 1925
Der platonische Dialog. «25 Jahre Frankfurter Schauspielhaus», 1927

WERKAUSWAHL:

G. K., Romane, Erzählungen, Aufsätze, Gedichte (Werke in drei Bänden) (Berlin/Weimar 1979)

LITERATURHINWEISE

Arnold, Arnim (Hrsg.): Interpretationen zu Georg Kaiser, Stuttgart 1980.

Denkler, Horst: G. K. Die Bürger von Calais. Drama und Dramaturgie. München 1967.

Diebold, Bernhard: Der Denkspieler Georg Kaiser. Frankfurt/Main 1924.

Fivian, Eric A.: Georg Kaiser. München 1947.

Glaser, Hermann: Georg Kaiser, Die Bürger von Calais. In: Büttner, Das europäische Drama von Ibsen bis Zuckmayer, Frankfurt/Main 1959.

Ihrig, Erwin: Die Bürger von Calais. Auguste Rodins Denkmal. Georg Kaisers Bühnenspiel. In: Wirkendes Wort 11. 1961. S. 290ff.

Lämmert, Eberhard: Kaiser, Die Bürger von Calais. In: Das deutsche Drama II, hrsg. v. Benno von Wiese, Düsseldorf 1958.

Ders.: G. K. Die Bürger von Calais. In: Das deutsche Drama vom Expressionismus bis zur Gegenwart. Bamberg 1970.

Mann, Otto: Das Drama des Expressionismus. In: Expressionismus, hrsg. v. H. Friedmann u. O. Mann. Heidelberg 1956.

Mennemeier, Franz Norbert: Modernes Deutsches Drama. Bd. 1. München 1973. S. 147ff.

Motekat, Helmut: Das zeitgenössische deutsche Drama. Stuttgart/Berlin/Köln Mainz 1977 S. 23ff.

Paulsen, Wolfgang: Georg Kaiser, Die Perspektiven seines Werkes, Tübingen 1960 (mit umfangreicher Bibliographie).

Pausch, Holger A. u. Reinhold, Ernst (Hrsg.): Georg Kaiser Symposium. Berlin/Darmstadt 1980.

Petersen, Klaus: Georg Kaiser, Künstlerbild und Künstlerfigur, Bern/Frankfurt a. M./München 1976.

Sokel, H. Walter: Der literarische Expressionismus. München–Wien 1970

Viviani, Annalisa, in: Das Drama des Expressionismus. Kommentar zu einer Epoche. München 1970.

Ziegler, Klaus: Das Drama des Expressionismus. In: Der Deutschunterricht, 1953/55.